LAO She

Le Pousse-pousse

**Roman traduit du chinois
par François Cheng et Anne Cheng**

Éditions
Picquier Poche

DU MÊME AUTEUR
AUX ÉDITIONS PHILIPPE PICQUIER

Messieurs Ma, père et fils

Les Tambours

L'Homme qui ne mentait jamais

La Philosophie de Lao Zhang

Mas de Vert
B.P. 20150
13631 Arles cedex

Conception graphique : Picquier & Protière

ISBN : 978-2-87730-211-1
ISSN : 1251-6007

Préface

Il est des romanciers qui connaissent un destin semblable à celui des personnages qu'ils ont eux-mêmes inventés : Lao She est un de ceux-là. Écrivain de renommée internationale, salué à l'étranger comme un des plus grands de son temps dès le lendemain de la Deuxième Guerre mondiale et consacré « Artiste du peuple » dès le lendemain de l'instauration du régime communiste en Chine, il meurt en 1966 dans des circonstances encore non éclaircies (malgré la thèse officielle du suicide), mais de toute évidence dramatiques.

Les œuvres de Lao She font désormais figure de « classiques » dans le patrimoine culturel chinois, mais il reste une « énigme Lao She ». Rien, de ses origines modestes, ne laissait prévoir un destin aussi exceptionnel. Né en 1899 à Pékin dans une famille mandchoue dont le père, simple garde du Palais Impérial, est tué un an après lors du conflit des Boxeurs, Lao She, malgré ce début difficile dans la vie, réussit à faire des études qui le mèneront à une carrière d'enseignant. En 1924, le jeune homme qui a été témoin, sans y prendre une part active, du mouvement du 4 mai 1919 et qui a entre-temps reçu le baptême chrétien, s'embarque pour l'Europe, destination Londres. C'est dans cette métropole d'Extrême-Orient, dans ce décentrement absolu que Lao She se met à écrire : trois romans coup sur coup (*La Philosophie de*

Lao Zhang, Zhao Ziyue et *Messieurs Ma père et fils*), où éclatent son goût pour la satire, son humour et sa verve toute pékinoise.

1930 : Lao She revient en Chine précédé déjà d'une solide réputation d'humoriste, mais les sept années qui suivent peuvent être considérées comme les « années d'or » de sa carrière. Romans et nouvelles se succèdent en tir serré, montrant un Lao She au sommet de son art. *La Cité des chats, Divorce, Histoire de ma vie,* pour n'en citer que quelques-uns[1] et, à la toute fin de cette période de maturité, *Le Pousse-pousse,* d'abord paru par épisodes dans une revue entre 1936 et 1937, à la veille de l'invasion japonaise, et publié sous forme de livre en 1939.

Le Pousse-pousse marque véritablement un point d'orgue dans la carrière littéraire aussi bien que dans le destin personnel de Lao She, car, à partir de 1937, sa vie, comme celle de tous les Chinois, tombe sous le coup d'événements historiques dramatiques. L'invasion japonaise non seulement le contraint à l'exode intérieur mais le conduit aussi à produire une littérature de « résistance ». En 1946, Lao She, à qui la traduction américaine du *Pousse-pousse* a valu une réputation internationale, est invité aux États-Unis où il séjourne pendant que la Chine est livrée à la guerre civile. Mais dès 1949, il est l'un des intellectuels les plus prompts à répondre à l'invite du gouvernement communiste et rentre en Chine pour y devenir un personnage très officiel. Il a entre-temps achevé son grand roman *Quatre Générations sous un même toit* et continue à en écrire (*Sous la bannière rouge,* entre autres) mais sa production littéraire s'oriente alors nettement vers un genre plus « proche du peuple » : les pièces de théâtre (comme *La Maison de thé* de 1957).

---

1. De nombreuses œuvres de Lao She sont connues du public français grâce aux remarquables traductions de Paul Bady et Li Tche-houa.

1937 marque donc le début de l'engagement et, de ce fait, d'une écriture plus « idéologique » pour Lao She qui s'en était jusque-là bien gardé, et *Le Pousse-pousse* apparaît rétrospectivement comme la dernière œuvre de la période où Lao She se contentait d'être un humaniste. L'histoire de « Siang-tse le Chameau » (sobriquet qui a donné au roman son titre original) est celle d'un homme qui nous devient vite attachant et dont nous suivons avec une sympathie grandissante les démêlés, parfois humoristiques mais le plus souvent tragiques, avec la vie et la société.

Nous sommes dans le Pékin des années vingt et trente, un Pékin aujourd'hui disparu que Lao She fait vivre sous nos yeux : le petit peuple, surtout, avec ses métiers, ses petits trafics, sa langue savoureuse, ses misères et ses fêtes. Siang-tse est un brave gars de la campagne, plein de santé et d'idées simples, qui est venu à la ville avec la ferme conviction qu'en travaillant dur et en menant une vie honnête et austère de tireur de pousse, il pourra, à force d'économies, se faire une place au soleil. Or, le roman nous raconte la marche inéluctable de Siang-tse vers la déchéance, une sorte de chemin de croix sur lequel notre tireur va de désillusion en désillusion, de coup dur en coup dur qui chaque fois le font tomber toujours plus bas, et qui nous font comprendre – aussi incroyable que cela puisse paraître - comment un homme « normal » à tout point de vue peut finir écrasé et broyé par une société sans pitié jusqu'à devenir une loque que l'on n'ose même plus qualifier d'humaine.

De la profonde humanité de Siang-tse à sa déshumanisation par le fait de la société, il y a un itinéraire, un destin qui nous prend au cœur, malgré la distance dans l'espace et dans le temps, et sur lequel Lao She porte un témoignage passionné, mais exempt de toute « thèse » idéologique. Comme l'a dit très justement un critique : « A une époque où tout ce qui s'écrit sur la Chine est classé comme étant représentatif d'une idéologie ou d'une autre, c'est si bon de trouver enfin un homme pleinement conscient qu'un peuple est fait d'individus et que ces individus sont des êtres humains. »

C'est sans doute dans l'humanisme de Lao She que réside la clé de l'universalité du *Pousse-pousse,* aujourd'hui transposé en de nombreuses langues, mais malheureusement trop souvent sur la base de la traduction américaine, parue en 1945, d'Evan King qui crut bien faire en changeant de son propre chef la fin du roman en *happy end* ! C'est donc la version « autorisée » qui est proposée aujourd'hui dans une traduction française rééditée et remaniée. Bonne route, Pousse-pousse !

Anne CHENG

1

Siang-tse avec qui nous allons faire connaissance n'a rien d'un chameau. « Chameau », ce n'est qu'un surnom. Commençons donc par présenter Siang-tse le tireur de pousse-pousse, et nous évoquerons, en passant, son aventure avec les chameaux qui lui valurent ce surnom.

Il existe à Pékin plusieurs catégories de tireurs de pousse, suivant leur âge et la qualité de leur véhicule. Ceux qui sont jeunes et forts et qui ont des jambes lestes cherchent à louer des pousses élégants. Ils commencent et finissent leur journée à l'heure qui leur plaît. Avec leur pousse, ils se postent à un endroit fixé, à l'affût de clients riches qui demandent une course rapide. Avec un peu de chance, ils gagnent d'un seul coup un ou deux yuans. Il leur arrive aussi de passer toute une journée sans gagner de quoi payer la location. Mais cela leur est égal. Ces gens-là aspirent en général à deux choses : se placer comme tireur chez un particulier, et surtout, posséder leur propre pousse. Car lorsqu'on a un pousse à soi, cela revient au même de travailler pour un particulier ou de chercher des clients soi-même.

Les tireurs un peu plus âgés forment une autre catégorie. Ayant une santé moins robuste, ou une famille à charge, ils ne peuvent se payer le luxe de perdre une journée ; la plupart se contentent de louer un pousse en moins bon état. Toutefois, comme ils se présentent encore bien, ils peuvent continuer à se permettre un certain aplomb au moment de marchander le prix. Dans cette catégorie, il y en a qui travaillent la journée entière, d'autres seulement la demi-journée ; ces derniers préfèrent en général le travail de nuit, ou plus exactement, de quatre heures de l'après-midi jusqu'au lendemain matin, et cela hiver comme été. Naturellement, courir dans le noir demande plus d'attention et de dextérité, mais permet de gagner davantage.

Les plus de quarante ans et les moins de vingt ans ne font pas partie des deux catégories que nous venons de définir. Avec un pousse en piteux état, n'ayant pas le courage de travailler la nuit, ils sont obligés de commencer tôt. Du lever du soleil jusqu'à trois ou quatre heures de l'après-midi, ils s'efforcent de récupérer les frais de location et de gagner leur bol de riz quotidien. Un véhicule défectueux, une vitesse qui laisse à désirer, autant de handicaps qui les empêchent de se montrer exigeants pour le prix et les obligent à accepter n'importe quelle course. On les voit même traîner des marchandises de toutes sortes sur les marchés.

Ici, une précision. Les moins de vingt ans – il y en a qui font le métier à partir de douze ans – ont rarement l'espoir de devenir des tireurs superbes à vingt ans. Commencer trop jeune ne favorise pas spécialement la croissance. Même en continuant toute leur vie, ils ne connaîtront jamais l'orgueil de ceux qui courent la tête haute. Quant aux plus de quarante ans, certains ont au minimum une dizaine d'années d'ancienneté. Leurs muscles relâchés les relèguent derrière les autres ; ils savent que, tôt ou tard, ils mourront d'une culbute sur la chaussée. En attendant, leur style, leur art de discuter le prix et ce chic qu'ils ont de trouver le raccourci, rappellent encore leurs heures de gloire passées. Néanmoins, ils peuvent s'estimer heureux en comparaison avec d'autres tireurs du même âge, nouveaux venus dans la profession : ouvriers en chômage, petits marchands en faillite, agents de police licenciés... Après avoir tout perdu, tout vendu, ceux-ci essuient leurs larmes et s'engagent sur cette voie de mort. Sans force, sans expérience, sans amis, ils encaissent les insultes, parfois même de la part des autres tireurs ; halant un pousse branlant dont les pneus crèvent plusieurs fois par jour, ils doivent sans cesse s'excuser auprès de leurs clients. Pour eux, quinze piécettes de cuivre pour une course, c'est une aubaine !

Du fait de circonstances géographiques ou de connaissances particulières, on peut encore délimiter une catégorie de tireurs d'une espèce différente. Ceux qui habitent près du quartier de Si-yuan, à l'ouest, ou de Hai-tian, s'arrangent naturellement pour faire les courses jusqu'à la colline de l'Ouest, à Yan-king ou à Ts'ing-houa. De même, ceux qui sont hors de la porte An-ting vont volontiers à K'ing-ho ou à Pei-yuan, au nord, et ceux qui sont hors de la porte de Yong-ting vont à Nan-yuan, au sud... Tous ces tireurs-là ne font que les longues courses. C'est bien plus exaltant de gagner, d'un seul coup, une somme rondelette que de ramasser des pièces une par une. Toutefois, ils n'égalent pas encore ceux de Tong-kiao-min-hiang, quartier célèbre de légations étrangères. Ceux-là se font un honneur de conduire d'une seule traite les clients étrangers de Tong-kiao-min-hiang à la colline de Yu-K'iuan, au jardin Yi-ho ou même à la colline de l'Ouest. Bien sûr, ils ont le souffle plus long, mais un autre atout leur permet de monopoliser ce privilège auquel ne sauraient prétendre les autres tireurs : ils savent baragouiner un peu de langues étrangères. Et les quelques mots étrangers de leur répertoire, ils ne les révèlent aux autres sous aucun prétexte. D'autre part, ils sont les seuls à comprendre la prononciation affreuse des soldats anglais ou français, lorsqu'ils mâchonnent des noms de lieux comme Wancheou-chan, Yong-ho-kong, Pa-ta-hou-t'ong, etc. Leur manière de courir les distingue également des autres. La tête légèrement baissée, le regard fixé droit devant eux, le pas bien cadencé, ils courent en se serrant le plus près possible contre le bord de la chaussée, avec un air de spécialiste qui ne daigne pas se mêler aux ignorants. Ils ne portent pas de blouse comme les autres, mais une veste blanche à manches longues et un pantalon blanc ou noir. Le bas du pantalon, très large, est resserré à la cheville par un ruban. Leurs chaussures de toile à bout carré ont une semelle épaisse bien nattée. L'ensemble donne une impression de netteté, de propreté et de distinction. Devant pareil équipage, les autres tireurs renoncent à leur disputer les clients et même à rivaliser de vitesse avec eux ; ils les considèrent comme étrangers à leur milieu.

Grâce à cette analyse préliminaire, nous pouvons situer Siang-tse avec la précision d'un ouvrier qui insère une vis dans une machine. Siang-tse, avant de porter le surnom de « Chameau », était un tireur relativement libre : il appartenait à la catégorie des jeunes, il avait son pousse à lui et sa vie à lui, bref, un tireur de la classe supérieure.

Cela n'avait pas été facile. Un an, deux ans, puis trois ou quatre autres de travail et de privations. Une goutte de sueur, deux gouttes, puis des centaines de milliers de gouttes de sueur ; tant de luttes et de souffrances pour acquérir un pousse. C'était la décoration que reçoit un soldat qui a fait toutes les campagnes.

Il nous faut cependant revenir en arrière. A l'époque où il était encore obligé de louer un pousse, il avait l'impression d'être un diabolo qu'on faisait tournoyer en tous sens. Mais dans ce tourbillon, il ne perdait pas pied. Il avait toujours en vue ce véhicule lointain qui lui apporterait la liberté et l'indépendance et lui serait aussi cher que ses propres membres. Avec un tel engin, il n'aurait plus besoin de courber l'échine devant les loueurs. Il lui suffirait chaque jour d'un peu d'énergie pour s'assurer son bol de riz.

Il ne craignait nullement de travailler dur et n'avait pas les mauvaises habitudes des autres tireurs. Son intelligence et son application lui permettaient de réussir. S'il avait eu, au départ, de meilleures conditions de vie, il n'eût pas été amené à exercer ce métier qu'on qualifiait de « cercle de caoutchouc ». Malheureusement, il n'avait pas le choix. Mais qu'à cela ne tienne ! Là aussi, il réussirait à force de travail et d'astuce. Même en enfer, il serait un bon diable.

Ayant grandi à la campagne et perdu ses parents très tôt, il était arrivé en ville à l'âge de dix-huit ans. Avec la robustesse et l'honnêteté foncière d'un campagnard, il avait tâté de tous les métiers qui ne demandaient que de la force physique. Il ne fut pas long à comprendre que le métier de tireur permettait de gagner le plus d'argent. Et puis, c'était varié, plein de surprises agréables ; par exemple, lorsqu'un client vous paie plus que prévu. Il savait cependant que ces chances n'étaient pas dues au hasard. Encore faut-il que le bonhomme et son pousse soient de qualité ! Lui, Siang-tse, pouvait y prétendre. De la force, il en avait à revendre. Mais sans expérience, il n'osait pas manier tout de suite un pousse chic. Il avait cependant confiance. Fort comme il l'était, il n'aurait pas de mal à acquérir la technique en quinze jours. Une fois celle-ci acquise, il louerait un pousse neuf et travaillerait chez un particulier. Et puis, après un ou deux ans, voire trois ou quatre, de vaches maigres, il aurait son pousse à lui, le plus pimpant de tous !

Il était en avance pour son âge. A vingt ans à peine, il était déjà grand et fort comme un adulte, bien que ses membres n'eussent pas encore pris leur forme définitive et que son air restât enfantin et tant soit peu espiègle. Pour un tireur de première classe, c'en était un ! Avant d'essayer le métier, il avait réfléchi à la manière de serrer davantage sa taille, pour mettre en valeur son buste droit et sa poitrine large comme un éventail de fer. Il penchait la tête pour admirer ses épaules – comme elles étaient musclées et imposantes ! La taille bien serrée, il mit un pantalon large en tissu blanc, attaché en bas par une mince corde de boyaux de coq tressés. Cela semblait agrandir encore ses pieds hors série. Pas de doute, il serait un tireur émérite ! Il se mettait alors à rire tout seul, un peu bêtement.

D'aspect plutôt quelconque, il attirait l'attention par la vivacité de son visage. Une tête pas trop grosse, des yeux ronds, un nez charnu, deux sourcils courts, mais épais, un crâne rasé et luisant. Point de chair en trop sous la mâchoire, le cou presque aussi gros que la tête. Il avait toujours les joues rouges ; entre la pommette et l'oreille droite, brillait la trace d'une ancienne cicatrice – enfant, il avait été mordu par un âne, alors qu'il dormait sous un arbre. Il ne soignait pas beaucoup son apparence et avait tendance à traiter son visage comme n'importe quelle autre partie de son corps. Il lui suffisait d'être fort et bien musclé. Il était encore capable, comme autrefois à la campagne, de se tenir longtemps sur la tête. Dans cette position, il avait la sensation d'être un arbre, parcouru de bout en bout par une force égale et pleine.

Vraiment, il ressemblait à un arbre : robuste, silencieux et vivant. Il avait conçu un plan, qu'il ne pouvait révéler aux autres. Parmi les tireurs, les ennuis de chacun servaient de sujet de conversation à tous. Au coin des rues, dans les maisons de thé, dans les cours, chacun racontait, en l'arrangeant, sa petite histoire, qui devenait un bien public et se propageait comme une chanson populaire. Siang-tse était un campagnard ; il n'avait pas la parole aussi rapide que les citadins. Il n'avait d'ailleurs aucune envie d'imiter ces mauvaises langues. Son histoire, il la gardait pour lui-même. Ne gaspillant pas son temps en bavardages, il pouvait réfléchir tout à loisir.

Il décida donc d'être tireur, et tireur il devint. Ayant loué un vieux pousse, il commença par s'exercer les jambes. Le premier jour, il ne gagna pas grand-chose. La deuxième journée fut plutôt bonne. Toutefois, il dut rester couché les deux jours suivants ; il lui fut impossible de soulever ses jambes, enflées comme deux courges. Stoïquement, il endura la douleur, sachant que c'était le lot de tout débutant.

Les pieds guéris, il osa enfin courir. C'était une sensation agréable. Désormais, il n'aurait plus peur de rien. Les noms des rues de Pékin, il en connaissait pas mal, même si parfois il allongeait le trajet ; ce n'était pas d'énergie qu'il manquait. Les techniques ne lui paraissaient pas non plus d'une difficulté insurmontable : pousser, tirer, soulever les brancards, les porter sur l'épaule, il expérimentait tout cela tour à tour. Il savait qu'il suffisait de faire attention et de ne pas chercher à devancer les autres pour ne jamais avoir de pépins. Quant à marchander le prix ou disputer les clients aux autres tireurs, étant donné qu'il avait la parole lente et le sang chaud, il n'était pas de taille à rivaliser avec des vétérans roublards. Conscient de cette faiblesse, il évitait d'aller dans les « stations ». Il recherchait plutôt les endroits calmes et retirés ; là, il pouvait discuter à l'aise le prix avec les clients. Parfois même, il ne demandait rien et se contentait de dire : « Montez donc. Vous me donnerez ce que vous voudrez. »

Il avait l'air si honnête et si sympathique que les gens ne pouvaient que lui faire confiance. Même s'ils avaient un doute, ils finissaient par penser que c'était un campagnard nouvellement arrivé et qui n'oserait pas exiger un prix. Lorsqu'ils demandaient : « Mais tu connais la rue ? » il répondait par un sourire, mi-naïf, mi-rusé, qui les désarmait.

Après deux ou trois semaines, il avait les jambes définitivement entraînées. Il trouvait son style « pas si mal » en vérité. Le style, c'est tout le standing d'un tireur. Ceux qui ont les pieds plats et qui balayent le sol comme deux gros éventails de palmier, ce sont de nouvelles recrues venues de la campagne. D'autres, qui baissent la tête et qui font semblant de courir, alors qu'ils ne vont guère plus vite qu'un simple piéton, ce sont les vieux de plus de cinquante ans. D'autres enfin, qui sont expérimentés, mais démunis de force, adoptent un autre style : le dos courbé, ils courent en levant très haut les jambes ; chaque pas est accompagné d'un mouvement de tête. Ça fait de l'effet ; mais, en réalité, ils ne courent pas vite.

Siang-tse n'imitait pas ce style qui consistait à sauver l'honneur sous l'apparence. Lui, avec ses longues jambes, il faisait de grands pas. Les reins bien dressés, il courait sans bruit, sans agiter les brancards du pousse, de sorte que le client, sur son siège, éprouvait une sensation de confort et de sécurité. Et puis, quelle que fût la vitesse à laquelle il courait, il lui suffisait de donner un ou deux coups de pied légers pour s'arrêter net. Le buste penché en avant, il saisissait des deux mains, sans serrer, le bout des brancards ; sa force semblait pénétrer dans toutes les parties du pousse. Mobilité, précision, élégance, tels sont les mots qu'on peut employer pour qualifier son style. Courir vite sans donner l'impression de hâte, sans provoquer chez le client de l'appréhension, voilà une qualité rare, même chez les tireurs qui travaillent pour les particuliers.

Un jour enfin, il loua un pousse neuf. Il apprit en même temps qu'un pousse comme celui-là – en beau cuivre, avec capote imperméable et deux lampes – coûtait un peu plus de cent yuans. Mais si on n'était pas trop exigeant sur la peinture et la qualité du cuivre, cent yuans suffiraient amplement.

A cette pensée, il eut comme un sursaut : s'il mettait de côté dix centimes par jour, en mille jours, il aurait cent yuans. Mille jours ! Il n'arrivait pas à se figurer combien de temps cela représentait. Mais c'était décidé. Il aurait son pousse à lui, même s'il lui fallait mille jours, dix mille jours. Dans une première étape, il travaillerait chez un particulier. Avec un patron qui recevait beaucoup, il aurait une dizaine de soirées par mois et ça lui permettrait de réunir à peu près deux ou trois yuans de pourboires. Ajouté à cela ce qu'il aurait économisé, en un an il réussirait à monter sa fortune à cinquante ou soixante yuans.

A la suite de ces spéculations, son rêve lui apparut soudain moins fou et même près de se réaliser. Il ne fumait pas, ne buvait pas et ne jouait pas non plus. Exempt de mauvaises habitudes, de soucis de famille, il ne rencontrait aucun obstacle sur le chemin de la réussite.

Il parvint à se faire embaucher par des particuliers. Cependant, la réalité n'était pas toujours conforme à ce qu'il escomptait. Il avait beau faire attention, il lui arrivait toujours quelque chose qui déplaisait à ses maîtres, et un beau jour on le congédiait. Parfois, il restait dans une famille deux ou trois mois, parfois huit ou dix jours seulement. Chaque fois qu'il était renvoyé, il devait chercher un nouveau patron, tout en travaillant au jour le jour. Pas un instant de répit ! Découragé, il s'efforçait néanmoins de travailler consciencieusement ; car il n'oubliait pas qu'il s'était juré d'épargner quelques sous chaque jour.

Que de fois ses nerfs furent sur le point de craquer ! Il n'arrivait plus à se concentrer. Tout en courant, il ruminait ses pensées. Il se sentait pris d'impatience et de peur. Etait-il donc un bon à rien ? Aurait-il un jour son propre pousse ? Ses soucis le rendaient moins prudent. Il ne faisait plus attention aux débris de verre ou aux morceaux de métal qui crevaient les pneus. Souvent aussi, il heurtait les passants. Une fois même, dans une bousculade, il perdit un enjoliveur. S'il avait tranquillement travaillé pour un particulier, ce genre de chose ne lui serait pas arrivé. Le pousse abîmé, il lui fallait indemniser le loueur

– ce qui ne fit qu'augmenter sa mauvaise humeur. Par crainte de commettre d'autres imprudences, il lui arrivait de rester une journée au lit. Mais invariablement, le lendemain, il se réveillait rongé de remords. Plus il s'impatientait, plus sa vie devenait désordonnée.

Il finit par tomber malade. Après tout, sa santé n'était pas de fer. Il essaya de ne pas acheter de médicaments. Sa maladie s'aggravait. Il dut se soigner en restant plusieurs jours au lit. Autant de jours sans revenus et sans épargne. Après sa guérison, il dut se rattraper en mettant les bouchées doubles. Mais les sous ne s'accumulaient pas plus vite pour autant.

Trois ans après, il réunit enfin la somme de cent yuans. Il n'aurait pas pu attendre plus longtemps. Au départ, il avait envisagé l'achat d'un pousse dernier cri ; maintenant, il fallait partir de cent yuans et agir vite. Un incident quelconque pouvait lui faire perdre quelques yuans. Un pousse venait justement d'être terminé dans un garage et correspondait à peu près à ce qu'il désirait. L'engin coûtait en fait un peu plus de cent yuans ; mais la personne qui l'avait commandé et qui avait versé des arrhes n'avait pas pu, faute d'argent, retirer la marchandise. Le fabricant consentit à le céder à un prix moins élevé. Le visage tout rouge, les mains tremblantes, Siang-tse sortit de sa poche quatre-vingt-seize yuans et dit :

— Je veux ce pousse !

Le fabricant, voulant arriver à un chiffre rond, marchanda à grands renforts d'arguments. Il sortit le pousse du garage et le rentra. Il ouvrit la capote et la referma. Il pressa sur l'avertisseur en caoutchouc. Chacun de ses gestes était accompagné d'un flot d'éloges ronflants et pompeux. A la fin, il donna deux coups de pied dans les rayons en acier de la roue.

— Écoute-moi ça ! Ça résonne comme une cloche. Prends-le. Tu me le renvoies dans la figure si tu trouves un seul rayon cassé ! Cent yuans, pas un centime de moins.

Siang-tse compta encore son argent.

— Je veux ce pousse. Voilà quatre-vingt-seize yuans.

Le fabricant, voyant qu'il avait affaire à un brave gars, après avoir jeté un coup d'œil sur l'argent puis sur Siang-tse, soupira :

— Prix d'ami. Le pousse est à toi. Garanti six mois. Sauf si tu casses le coffre, je répare gratuitement. Tiens, voilà la feuille de garantie.

Siang-tse, tremblant d'émotion, prit la feuille. Il était près de pleurer lorsqu'il saisit l'engin. Il le tira à l'écart et le contempla sous tous les angles. Sur un des côtés laqués du coffre, il chercha à se mirer. Plus il le regardait, plus il le trouvait ravissant. Ce pousse lui appartenait bel et bien ; même les points qui ne le satisfaisaient pas tout à fait paraissaient sans importance.

Après l'avoir longuement admiré, il s'assit sur le marchepied tout propre, les yeux fixés sur le tuyau luisant de l'avertisseur. Il se rappela qu'il avait vingt-deux ans. Ses parents étant morts quand il était très jeune, il avait oublié la date de son anniversaire ; depuis qu'il était en ville, il ne l'avait jamais fêté. Il décida que ce jour, mémorable entre tous, serait le jour de son anniversaire. Double anniversaire, le sien et celui de son pousse. Ce pousse était né, en quelque sorte, de sa sueur et de son sang. Il avait donc tout lieu de le traiter comme un être vivant.

Comment le fêter, ce double anniversaire ? Siang-tse eut une idée : le premier client serait un monsieur élégant, il le fallait. Oui, un homme ; pas une femme. Et, si possible, d'abord une course à la porte Ts'ien-men, et ensuite une autre jusqu'au marché Tong-an. Une fois là, il se paierait, dans une échoppe, un de ces repas ! – avec des galettes farcies de mouton grillé ! Après quoi, il ferait peut-être encore une ou deux courses, s'il se présentait des offres intéressantes. Sinon, il terminerait sa journée comme ça. Ben quoi, un jour d'anniversaire, ce n'est pas tous les jours !

Depuis qu'il possédait son propre véhicule, un intérêt grandissant de jour en jour animait sa vie. Qu'il travaillât pour un particulier ou qu'il cherchât des clients dans la rue, il le faisait sans angoisse : l'argent qu'il gagnait lui revenait en entier. Le cœur désormais serein, il traitait les autres avec amabilité ; et son commerce allait comme sur des roulettes. Au bout de six mois, son espoir grandit. Deux ans encore, et il serait en mesure d'acheter un autre pousse. Un pousse, deux pousses... et pourquoi ne finirait-il pas par ouvrir une agence de location ?

2

La joie s'accompagne toujours d'audace. Siang-tse courait plus vite que jamais. C'est ainsi qu'il se sentait digne de son pousse flambant neuf et de lui-même.

Depuis qu'il était en ville, il avait grandi d'un pouce – doublement – mais il savait qu'il n'avait pas atteint le maximum de sa croissance. Sa peau paraissait plus ferme, et son corps, d'une forme plus stable. Une petite moustache commençait à ombrer sa lèvre supérieure. Chaque fois qu'il passait une porte et qu'il était obligé de baisser la tête, il était ravi. Déjà si grand, et il continuait à pousser ! Le fait d'être à la fois un adolescent et un adulte l'amusait beaucoup.

Bel homme, beau pousse ; et quel pousse ! Les arcs étaient souples, si souples que les brancards tremblaient légèrement pendant la course. Le coffre était étincelant, et le coussin du siège d'une blancheur immaculée.

L'avertisseur lançait des sons éclatants. Avec un tel engin, courir vite n'est pas seulement une question d'amour-propre, c'est un devoir. Sans la vitesse, comment mettre pleinement en valeur la beauté de son pousse et celle de son propre corps ? Au bout de six mois, le pousse avait l'air de se comporter comme un être vivant. Au moindre mouvement de Siang-tse, un coup de reins ou un ploiement des jambes, il répondait immédiatement, par une aide des plus opportunes et des plus efficaces. Entre eux, pas l'ombre d'un malentendu ou d'un accroc. Sur terrain plat, lorsqu'il n'y avait pas d'encombrements, bercé par le bruit léger et rythmé, Siang-tse avait l'impression d'être poussé par la rotation des roues, comme par une brise rapide. Arrivé à destination, ses vêtements lui collaient au corps, tout trempés de sueur, comme s'ils étaient sortis d'une bassine d'eau. Il ressentait de la fatigue, mais une fatigue agréable et qui lui procurait un sentiment de fierté, tel un cavalier qui vient de parcourir sur son coursier quelques dizaines de lis au grand galop.

Non seulement il courait vite, avec confiance et audace, mais il se souciait peu des heures où il convenait de sortir son pousse. Gagner son bol de riz en tirant le pousse était un noble métier ; personne ne pouvait l'empêcher de le faire quand ça lui chantait.

Il ne prêta guère l'oreille aux bruits de guerre qui circulaient. On disait que des soldats s'étaient installés à Si-yuan, à l'ouest de Pékin ; qu'il y avait eu des combats à Tch'ang-king-tian ; que, hors de la porte Si-tche, on enrôlait les jeunes de force pour les corvées ; et, même, que la porte Ts'i-houa était déjà fermée... A tout cela, il ne fit guère attention. Evidemment, il n'alla pas exprès se jeter dans le guêpier. Lorsque les boutiques fermèrent et que des gendarmes armés se postèrent à tous les coins de rues, il arrêta le travail. Le pousse était à lui, il fallait être prudent. Mais en homme qui venait de la campagne, il ne se laissait pas impressionner par les rumeurs, comme les citadins aux nerfs sensibles. D'ailleurs, il avait confiance en lui ; avec ses épaules musclées et sa stature, il s'en tirerait, en cas de pépin.

Chaque année, au printemps, les nouvelles du conflit provoqué par les Seigneurs de Guerre de tout acabit se répandaient comme les blés qui poussaient. Les épis et les baïonnettes symbolisaient l'espoir et la peur, pour le peuple du Nord.

Quand le pousse de Siang-tse fut âgé de six mois, c'était la saison où les blés attendaient la pluie printanière. Tandis que la pluie n'arrive pas toujours simplement parce qu'on l'espère, la guerre, elle, arrive sans qu'on l'attende. Rumeurs ? Réalité ? Toujours est-il que Siang-tse semblait oublier qu'il était paysan. Pluie ou pas, guerre ou pas, il ne se souciait que de son pousse, qui lui procurait galettes ou autres nourritures. C'était un champ cultivé, un champ vivant, magique, qui lui obéissait docilement.

A quelques détails près, les rumeurs de guerre se révélaient presque toujours exactes. Il suffisait de dire : « Ça va être la guerre », pour que, inévitablement, la guerre vînt. Quant à savoir qui se battait contre qui, comment se déroulaient les batailles, les versions variaient avec l'imagination de chacun. Siang-tse n'en ignorait pas le danger ; les pauvres ne souhaitaient pas plus la guerre que les autres. Cependant, elle ne signifiait pas forcément malchance pour eux. Car, en temps de guerre, c'étaient les riches qui avaient le plus à craindre. A la moindre alarme, ils ne songeaient qu'à se sauver. Mais ils ne pouvaient pas courir, alourdis qu'ils étaient par les richesses qu'ils traînaient avec eux. Ils étaient forcés de faire appel à d'autres mains et à d'autres jambes pour porter leurs coffres et leurs valises, pour transporter toute la tribu. Dans ce genre de cas, on s'arrachait ceux qui vivaient de leurs jambes et on les payait à prix d'or.

— Ts'ien-men, gare de l'Est !

— Où donc ?

— Gare de l'Est !

— Ah oui, gare de l'Est. Bon, un dollar quarante, et pas la peine de marchander !

Ce fut justement en une telle occasion que, un jour, Siang-tse sortit son pousse. Les rumeurs couraient depuis une dizaine de jours déjà. Les prix avaient augmenté. Mais la guerre semblait encore loin ; Pékin était, pour le moment, épargné. Siang-tse travaillait comme d'habitude. Un jour, dans les quartiers ouest de la ville, il repéra tout de même quelques indices. Au carrefour Sin-kie-k'eou, pas un client ne demandait à aller hors de la ville, par exemple du côté de Si-yuan ou de Ts'ing-houa, banlieues nord-ouest de Pékin. On lui raconta que, à la porte Si-tche, on réquisitionnait les véhicules.

Il fit un tour au carrefour, dans l'idée de boire un bol de thé, et se dirigea ensuite vers le sud. Le silence du carrefour l'impressionna. Malgré son audace, il ne voulut pas s'engager sur un chemin dangereux. Au même moment, deux tireurs, avec des étudiants dans leur pousse, arrivèrent, venant du Sud. Tout en marchant, ils criaient :

— Y en a-t-il qui vont à Ts'ing-houa ? Ho, là ! Ts'ing-houa ?

Les quelques tireurs qui étaient là ne bronchèrent pas. Certains regardèrent les deux arrivants avec un sourire ironique ; d'autres continuèrent à fumer leur pipe, sans même lever la tête.

— Alors, vous êtes tous sourds, ou quoi ? T'sing-houa !

— Deux yuans. J'y vais !

Un jeune au crâne chauve, voyant que personne ne pipait, lança une réponse par plaisanterie.

— Alors, amène-toi ! Mais il en faut encore un autre !

Les deux tireurs arrêtèrent leurs pousses.

Le petit chauve resta interdit, ne sachant plus que faire. Personne autour de lui ne bougea. Siang-tse comprit le danger qu'il y avait à sortir de la ville. Comment ? songea-t-il ; deux yuans pour aller à Ts'ing-houa – d'ordinaire, une course coûtait vingt ou trente piécettes de cuivre – et personne ne bougeait ? Il se tint coi. Mais voilà que le petit chauve se décidait à y aller, si toutefois quelqu'un d'autre l'accompagnait. Ses yeux s'arrêtèrent sur Siang-tse.

— Alors, le grand, et toi ?

En s'entendant appeler « le grand », Siang-tse eut un sourire de fierté. N'était-ce pas là un compliment ? Il pensa qu'il devait faire quelque chose pour ce petit chauve. Et puis, deux yuans pour une course, ça ne se présentait pas tous les jours. Le danger ? Existait-il vraiment ? L'autre jour, on avait bien raconté que le temple du Ciel était occupé par les troupes ; il y était passé et il n'y avait même pas l'ombre d'un soldat. Fort de ce raisonnement, il avança son pousse.

A la porte Si-tche, il y avait peu de passants. Siang-tse eut un peu peur. Le petit chauve, flairant aussi le danger, s'efforça néanmoins de rire :

— Allons, le grand, chance ou guigne, advienne que pourra !

Siang-tse ne prévoyait rien de bon. Mais il songea à sa réputation, établie depuis tant d'années. Il ne fallait pas se comporter en froussard.

Au-delà de la porte Si-tche, pas un pousse ne s'offrait à la vue. Siang-tse sentit son cœur se serrer. Il fonça, tête baissée, n'osant plus regarder les deux côtés de la chaussée. Parvenu au pont Kao-houa, il jeta un coup d'œil autour de lui. Ne voyant pas de soldats, il se tranquillisa un peu. Deux yuans, ça ne se gagnait pas sans courage. Peu bavard d'ordinaire, il eut envie de dire quelque chose au petit chauve, ne fût-ce que pour rompre le silence oppressant.

— Prenons plutôt le chemin de terre. Sur la grand-route...

— D'accord... (Le petit chauve devinait sa pensée.) Quand on aura quitté la route on sera à peu près en sûreté.

Avant d'atteindre le petit chemin, Siang-tse et le petit chauve furent arrêtés par une dizaine de soldats.

C'était déjà la saison des pèlerinages, où les fidèles bouddhistes, profitant du beau temps, venaient brûler des encens dans les temples du mont Miao-fong. Mais contre la fraîcheur de la nuit, une veste en simple tissu non doublé était tout de même trop mince. Siang-tse n'avait sur lui qu'une veste grise et un pantalon de soldat, déjà imprégnés d'une forte odeur de sueur lorsqu'on les lui avait donnés. Se voyant dans cet accoutrement, il regrettait amèrement sa petite veste blanche sur son ensemble en tissu bleu – cela faisait si propre et si chic ! Pour y être parvenu, ça n'avait pas été une mince affaire ! L'odeur de la sueur le fit penser à sa lutte et à sa réussite passées, dont il se complaisait maintenant à exagérer les mérites. Cela accentua sa haine contre les soldats qui le gardaient prisonnier. Ils lui avaient tout dérobé : ses habits, son chapeau, ses chaussures, son pousse, et même le ruban qui lui servait de ceinture. Seules lui restaient des traces de coups sur le dos et des ampoules aux pieds. Les habits, ce n'est pas trop tragique. Les blessures, ça se guérit. Mais son pousse ! Ce pousse, qui lui avait coûté tant d'efforts, avait disparu depuis qu'on l'avait traîné à la caserne. Il pouvait tout oublier de ses peines, mais pas son pousse.

A la pensée de devoir repartir de zéro et travailler encore des années et des années avant d'avoir un autre pousse, il se mit à pleurer. Tout lui parut haïssable à ce moment-là, et pas seulement les soldats. Au nom de quoi l'avait-on réduit à cet état ?

— Au nom de quoi ? s'écria-t-il tout haut.

Ce cri le soulagea tant soit peu, mais lui rappela en même temps le danger au milieu duquel il se trouvait. Il importait avant tout de s'enfuir et de sauver sa peau.

Où était-il donc ? Il l'ignorait. Il savait seulement que la troupe reculait en direction du sud-ouest. Tous ces jours-ci, il n'avait pas cessé de trimer pour les soldats. En marche, il trimbalait leurs affaires, les tirant, les poussant ou les portant sur les épaules. Au camp, il allumait le feu, allait chercher l'eau, donnait à manger aux bêtes. A longueur de journée, sous la menace du fusil, il travaillait. La nuit, à bout de forces, dès que sa tête touchait le sol, il s'endormait comme un mort. Il lui eût été plus doux de ne plus se réveiller.

Il se rappelait seulement que, au début, les soldats avaient reculé vers le mont Miao-fong. Maintenant, à mesure que la troupe s'enfonçait dans le paysage montagneux, il concentrait son attention sur la marche, craignant à chaque pas de tomber dans un ravin et de servir d'appât aux vautours. Plusieurs jours passèrent ainsi. Un soir, tournant le dos au soleil, il aperçut au loin la plaine. Le son de la trompette appela les soldats pour le repas du soir. Plusieurs d'entre eux amenèrent des chameaux.

Des chameaux ! Siang-tse eut comme une illumination, tel un homme égaré qui aperçoit subitement un point de repère. Les chameaux ne traversaient pas les montagnes : ils étaient donc au bord de la plaine. Il savait que, à l'ouest de Pékin, dans des endroits comme Pa-li-tchouang, Houang-ts'ouen, Wou-li-t'ouen, Mo-che-k'eou, on élevait des chameaux. Après tant de tours et de détours, ils étaient donc à Mo-che-k'eou ! Quelle était donc cette stratégie ? – à supposer que ces soldats pillards en eussent une ! Si l'on se trouvait réellement à Mo-che-k'eou, c'était sans doute que les soldats cherchaient une issue du côté de la plaine. En réalité,

Mo-che-k'eou était un lieu privilégié : en allant vers le nord-est, on pouvait atteindre la colline de l'Ouest ; vers le sud, Fong-tai ; vers l'ouest aussi, la voie était libre.

Tout en supputant ainsi le chemin que prendraient les soldats, il échafaudait tout un plan d'évasion. C'était bien le moment ou jamais de s'enfuir. Si les soldats retournaient vers les montagnes, il y mourrait de faim, même s'il réussissait à leur filer entre les doigts. C'était l'occasion unique de prendre la poudre d'escampette. Il en était sûr ; une fois échappé, il finirait bien par arriver à Hai-tian – ce bourg si pittoresque dans la banlieue nord-ouest de Pékin – dût-il traverser des régions entières. Il voyait clairement son itinéraire : de là, il allait tourner vers le nord-est, traverser Tsin-ting-chan, Li-wang-fen, et il se retrouverait à Pa-ta-tch'ou. Et puis, de Si-ping-t'ai il foncerait vers l'est jusqu'à Nan-hing-tchouang, en passant par Hing-tse-k'ou. Puis, de Pei-hing-tchouang, il se dirigerait vers le nord, passerait par Wei-tsia-ts'ouen et, toujours vers le nord, traverserait Nan-ho-t'an, Hang-chang-t'eou, Tsie-wang-fou, et parviendrait enfin au jardin Tsing-yi. Une fois là, il pourrait aller à Hai-tian, les yeux fermés. Le cœur faillit lui jaillir de la gorge. Durant toutes ces journées pénibles, il avait eu l'impression que le sang ne coulait plus que dans ses membres. Maintenant, il affluait au cœur. Le cœur brûlant et les membres glacés, il tremblait d'angoisse.

Très tard dans la nuit, il resta les yeux ouverts. Tantôt l'espoir le rendait heureux ; tantôt la peur le poussait jusqu'à la panique. Son corps gisait sur la paille, comme disloqué. Rien ne bougeait. Seul, le clignotement des étoiles accompagnait les battements de son cœur. Il entendit, non loin de lui, un chameau blatérer. Il aima ce cri, pareil à celui du coq, à la fois triste et réconfortant.

27

Soudain on entendit des grondements de canon dans le lointain. Il retint son souffle et n'osa pas bouger. L'heure de la liberté avait sonné. Les soldats se retireraient sûrement encore dans la montagne. Il savait d'expérience que ces bandes armées étaient pareilles aux abeilles enfermées dans une chambre ; elles se cognaient n'importe où, comme des imbéciles.

Voyant que les soldats commençaient à courir en tous sens et que ses gardes mêmes avaient déserté leur poste, il se mit instinctivement à ramper vers les chameaux. Il éprouvait de la sympathie pour ces bêtes, captives comme lui, tout en sachant qu'elles ne lui seraient d'aucun secours. La confusion augmentait. Au milieu de la bousculade et des cris, il réussit à se glisser jusqu'aux chameaux, couchés, immobiles et paisibles ; n'était leur respiration lourde, on eût dit des monticules de terre indistincts.

En attendant, personne ne semblait se soucier de lui. Il reprit courage et alla s'abriter derrière les chameaux, comme les soldats derrière leurs sacs de sable. Il n'eut pas de mal à se rendre compte que les détonations venaient du sud. Les soldats allaient donc être obligés, comme il l'avait prévu, de se replier vers la montagne. De ce fait, ils abandonneraient les chameaux. Aussi, son sort était-il lié à celui des chameaux. Si les soldats venaient les chercher, c'en était fait de lui. Sinon, il avait une chance de s'en sortir. Collant une oreille sur le sol, il n'entendit plus aucun bruit de pas. Son cœur se mit à cogner à grands coups dans sa poitrine.

Au bout d'un long moment, comme personne ne venait, il se redressa légèrement. Entre les deux bosses d'un chameau, il ne vit que l'obscurité. Bondissant sur ses pieds, il prit ses jambes à son cou.

3

Après avoir couru vingt ou trente pas, Siang-tse s'arrêta. Il ne pouvait pas abandonner les chameaux. Son corps encore en vie constituait la totalité de ses biens. Même un bout de ficelle traînant dans la boue, il aurait été heureux de le ramasser. Ça lui aurait donné l'impression de posséder quelque chose. C'était bien joli de se sauver ; mais qu'est-ce qu'on pouvait faire avec un corps tout nu ? Pas de doute, il devait emmener ces chameaux, sans savoir au juste à quoi ils lui serviraient. Au fond, c'étaient des objets comme les autres, un peu encombrants seulement, voilà tout.

En bon campagnard, il n'avait pas peur des bêtes. Les chameaux, quand il les tira, se levèrent lentement. Sans prendre le temps de vérifier s'ils étaient tous liés entre eux, il en prit un et se mit en route.

Dès le premier pas, il regretta son initiative. Car non seulement les chameaux avançaient trop lentement, mais il fallait de plus prendre mille précautions quand ils marchaient. Ces fichues bêtes dérapaient dans la moindre flaque d'eau et ne manqueraient pas de se casser facilement une jambe. Un chameau avec une jambe cassée n'avait plus de raison d'être. Siang-tse se dit qu'il aurait beaucoup mieux fait de songer d'abord à sa peau.

Il ne put toutefois se résigner à lâcher ses chameaux. Comment admettre de se défaire de choses qui vous tombaient ainsi, gratuitement, entre les mains ?

A cause de son métier, Siang-tse savait s'orienter. Malheureusement, ayant concentré tout son effort sur les chameaux, il ne savait plus où il se trouvait. Tout était si noir. Il aurait pu consulter les étoiles, s'il avait été moins pris de panique. Quand il les regardait, les étoiles paraissaient perdre la tête tout autant que lui. Elles s'agitaient et se heurtaient dans un désordre inouï.

Siang-tse baissa la tête et marcha à pas lents, malgré sa hâte. Il se disait que, avec ses chameaux, le mieux serait encore d'éviter de longer la montagne et de prendre au contraire la grand-route. De Mo-che-k'eou jusqu'à Houang-ts'ouen, le trajet devait être droit et sans détours. « Sans détours », voilà le genre d'expression qu'un tireur de pousse affectionne. Oui, mais sur la grand-route, il risquait de tomber à nouveau sur les soldats. Avec cette veste de soldat trouée, cette tête hirsute, pourrait-il passer pour un conducteur de chameaux ? Il avait plutôt l'air d'un déserteur. Déserteur ! ce ne serait rien s'il était repris par les soldats ; mais s'il se laissait capturer par les paysans, ceux-ci l'enterreraient vivant...

Il ôta sa veste et en arracha le col. Ainsi que les boutons de cuivre qui tenaient encore bon. Il jeta ensuite la veste sur son dos et, des deux manches, fit un nœud sur sa poitrine. Ainsi fagoté, il pensait pouvoir échapper aux soupçons des soldats. Pour plus de sûreté, il retroussa en outre son pantalon. D'autre part, la crasse et la sueur qui lui couvraient la figure et le corps contribuaient également à lui donner l'apparence assez convaincante d'un chamelier.

Siang-tse avait la réflexion lente, mais le raisonnement minutieux. Dès qu'il eut pris sa décision, il agit en conséquence. Il fit un dernier effort pour parfaire son déguisement et se mit en route. Afin de ménager ses forces, il voulut grimper sur un des chameaux. Mais comme c'était encore tout un programme de le faire accroupir, il y renonça. D'autant plus que, du haut d'un chameau, il n'eût plus su se diriger. Et si le chameau tombait, il ne manquerait pas de mordre lui aussi la poussière.

Il savait seulement qu'il marchait sur une route. La nuit était avancée. A cause de la fatigue de plusieurs jours sans sommeil et de la peur, il se sentait mal à l'aise. La marche lente et régulière l'endormait un peu. Un brouillard froid pesait sur la campagne. Il lui semblait que, à chaque pas, la route lui réservait une bosse ou un obstacle ; pourtant, lorsqu'il reposait le pied, le terrain se révélait plat.

Cette précaution continuelle et ces fausses alarmes finirent par l'énerver. Il décida de ne plus s'occuper de rien. Les yeux fixés droit devant lui, traînant les pieds, il s'enfonça dans la nuit. Les ténèbres de l'univers entier semblaient ouvrir les bras pour l'étreindre. Derrière lui, marchaient silencieusement les chameaux.

A un moment, il s'assit et s'endormit. S'il était mort à cet instant, il eût été incapable de dire, dans l'autre monde, pourquoi ni comment il se trouvait dans cette position-là.

Combien de temps s'était-il reposé ? Cinq minutes ou une heure ? Il n'aurait pu le dire. Il ne pouvait non plus préciser s'il avait commencé par s'endormir avant de s'asseoir, ou le contraire. Probablement, il dormait déjà en marchant.

Il se réveilla soudain. Ce fut non pas un réveil naturel, mais un sursaut brutal, un passage sans transition d'un état à un autre. L'obscurité l'environnait toujours. Il entendit cependant un cri de coq, qui lui traversa le cerveau comme une flèche pointue. Lorsqu'il fut tout à fait éveillé, il s'aperçut que sa main tenait encore la corde ; les chameaux étaient donc encore là. Tout courbaturé, il avait la flemme de se lever. Il n'osait pas non plus se rendormir. Il essaya de penser à quelque chose et il pensa à son pousse. Il ne put s'empêcher de crier tout haut une fois de plus :

— Au nom de quoi ?...

Il tâta les chameaux ; car jusqu'ici, il ne savait pas au juste combien de bêtes il avait emmenées. Il y en avait trois. Etait-ce beaucoup, ou trop peu ? Qu'allait-il en faire ? Il n'en avait aucune idée. Mais il sentait confusément que son avenir en dépendait.

— Pourquoi ne pas les vendre et acheter un autre pousse ?

Il faillit sauter de joie, mais ne bougea pas, un peu honteux de n'y avoir pas pensé plus tôt. Puis la honte fit place aussitôt à l'allégresse. Il réfléchit : le chant du coq signifiait que l'aube n'allait pas tarder et qu'il y avait un village à proximité. Peut-être Pei-sing-tchouang ? On y élevait justement des chameaux. S'il était au village à l'aube, il pourrait vendre les chameaux. Il retournerait aussitôt en ville et s'achèterait un autre pousse. En cette période de troubles, les pousses devaient coûter moins cher. L'esprit tout occupé par son nouveau pousse, il ne lui vint pas à l'idée qu'il pourrait avoir des difficultés à vendre ses chameaux.

Il se leva d'un bond et se remit en route, suivi de ses bêtes. Chemin faisant, il se demandait quel pouvait être le prix d'un chameau. Il savait que, autrefois, du temps où le chemin de fer n'existait pas encore, un chameau, plus résistant et moins coûteux à l'entretien qu'un âne, valait un bon lingot d'argent. Non, il ne prétendait pas en obtenir trois lingots. Une centaine de yuans ferait son affaire.

Le jour commençait à poindre. Il marchait vers le pan de ciel clair. La montagne était à l'ouest, et la ville, à l'est ; il ne s'était donc pas trompé de direction. A travers l'obscurité, on pouvait distinguer de plus en plus nettement les formes, encore incolores, des champs et des arbres lointains. Les étoiles devenaient rares. La brume, qui planait en lambeaux dans le ciel, se levait. Siang-tse huma l'odeur de l'herbe mouillée qui poussait au bord de la route et prêta l'oreille aux chants, encore timides, des oiseaux. Il retrouvait petit à petit l'usage de ses sens. Il se regarda, hagard et pitoyable, pour s'assurer qu'il était bien en vie. Il tourna les yeux vers les chameaux. Ils étaient, eux aussi, dans un état lamentable : ce qui ne les empêchait pas de paraître à Siang-tse aussi aimables que le reste de la nature. C'était la saison où les animaux font peau neuve. A part quelques touffes de poils qui pouvaient tomber d'un instant à l'autre, les chameaux n'avaient que leur peau grise, parsemée de plaques rougeâtres. Ces bêtes peuvent vraiment être considérées comme les parias du monde animal. Ce qui faisait le plus de pitié, c'était sans doute leur cou, si long, si chauve, maladroitement courbé et tendu en avant, comme celui d'un dragon triste et terrassé. Malgré leur laideur, Siang-tse les aimait bien ; du moins étaient-ce des créatures vivantes. Les regardant, il s'estimait même l'homme le plus fortuné de la terre, puisque le Ciel avait bien voulu lui accorder ces trésors vivants, pour lui permettre de les échanger contre un pousse. Ça n'arrivait pas tous les jours. Il ne put s'empêcher d'esquisser un sourire.

A l'horizon grisâtre, perçait une lueur rouge. Les arbres, au loin, paraissaient plus noirs. Peu après, le rouge et le gris se mêlèrent ; le ciel devint couleur de raisins mûrs, avec par-ci par-là, des taches gris-violet et d'autres franchement rouge. Un point d'un jaune brillant se forma bientôt à l'horizon, donnant naissance à toute une gamme de couleurs chatoyantes. L'orient tourna au carmin, tandis que le reste du ciel virait au bleu. Soudain, les nuages s'ouvrirent, laissant le soleil darder mille rayons d'or. Une vraie toile d'araignée, tissée de lumière. Les champs, les arbres, les herbes passèrent du vert sombre à l'émeraude scintillant. Les branches de sapin se teintèrent de rouge et les ailes des oiseaux étincelèrent. Tout souriait. Devant le spectacle de cette aurore grandiose, Siang-tse eut envie de pousser des cris. Depuis sa captivité, il avait perdu l'habitude de regarder le soleil.

Ayant toujours la tête baissée et ronchonnant continuellement, il avait oublié que le ciel existait.

Un regard sur ses haillons et sur la nudité de ses chameaux le fit sourire de nouveau. En tout, lui compris, quatre pauvres animaux ratatinés qui, s'étant faufilés au travers de dangers mortels, marchaient paisiblement face au soleil. Point n'était besoin de savoir ce qui était juste ou injuste ; le Ciel décidait de tout. Avec l'aide du Ciel, il n'avait qu'à aller de l'avant. Déjà, dans les champs, des paysans et des paysannes commençaient à travailler. Il ne prit même pas la peine de demander où il était. Tout droit, toujours tout droit – vers la ville ! Peu lui importait si, auparavant, il n'arrivait pas à vendre ses chameaux. Il avait hâte de revoir sa ville. Aucun parent, aucune fortune ne l'y attendaient ; mais la ville lui tenait lieu de famille et, une fois là, il saurait se débrouiller pour redémarrer dans la vie.

Au loin, on apercevait un village – pas trop petit. Devant le village, se dressaient de grands saules, alignés comme un cordon de gardiens. Au-dessus des toits des maisons basses, s'élevaient des fumées. Les aboiements assourdis des chiens étaient doux à l'oreille.

Il marcha d'un pas résolu vers ce village, non qu'il comptât sur quelque aubaine, mais simplement pour montrer qu'il n'avait pas peur des paysans, qu'il était comme eux un homme honnête qui avait le droit, en toute conscience, de marcher dans la lumière claire du soleil. Il demanderait un peu d'eau, si possible ; sinon, il endurerait la soif et continuerait sa route. Il en avait vu d'autres.

Il ne fit guère attention aux chiens qui aboyaient autour de lui. Par contre, le regard curieux des femmes et des enfants réveilla en lui le malaise. Il devait avoir l'air d'un drôle de chamelier, pour qu'on le dévisageât de la sorte. Il était gêné et un peu furieux. Les soldats l'avaient traité en esclave, et voilà maintenant que les villageois l'observaient comme une bête curieuse. Autrefois, sa taille et sa force lui avaient toujours conféré une dignité naturelle. Mais après tant d'humiliations et d'épreuves, il perdait de sa superbe. Il ne savait plus que faire. Par-dessus le toit d'une maison, il regarda le soleil ; il lui parut nettement moins gai que tout à l'heure.

Sur l'unique route menant au village, çà et là des flaques d'eau sale, d'urine de porc ou de cheval exhalaient une odeur fétide. Siang-tse, craignant les chutes pour ses chameaux, décida de faire halte. Au nord de la route, se trouvait une maison, d'apparence plus cossue que les autres. Elle était en brique, mais entourée seulement d'une simple barrière en bois. Pas de portail, ni de loge. Siang-tse comprit en un éclair : les briques indiquaient un riche propriétaire ; la barrière en bois, un éleveur de chameaux ! Il s'arrêta devant la maison, espérant vaguement pouvoir se débarrasser de ses compagnons de voyage.

— Seu, seu, seu !

Siang-tse ordonna par ce cri aux chameaux de s'accroupir. « Seu »... son vocabulaire de chamelier se limitait à cette unique expression. Il s'en servit, non sans satisfaction, pour montrer aux villageois qu'il n'était pas un amateur. Les chameaux s'accroupirent, tandis que lui-même allait s'étendre tout à son aise à l'ombre d'un petit saule.

Tous les gens le regardaient ; il fit front et les dévisagea à son tour. C'était le seul moyen dont il disposait pour les détourner de leurs soupçons.

Un instant plus tard, un vieillard sortit de la cour. Avec sa veste bleue déboutonnée et son visage luisant, il était, à n'en pas douter, le riche du village. Siang-tse se lança :

— Vieux seigneur, est-ce que je pourrais avoir un bol d'eau ?

— Ah !

Le vieillard se frotta la poitrine, tout en observant Siang-tse et les trois chameaux.

— De l'eau, reprit-il, il y en a. D'où viens-tu ?

— De l'ouest.

Siang-tse ne se risqua pas à nommer un endroit précis.

— Là-bas, il y a des soldats !

Le vieillard braquait son regard sur le pantalon de Siang-tse.

— Oui, ils m'ont pris ; mais je me suis sauvé.

— Tu n'as pas eu de mal à sortir de Si-k'eou ?

— Les soldats se sont retirés dans la montagne. La route était sûre.

— Hum...

Le vieillard hocha lentement la tête.

— Attends un peu. Je m'en vais te chercher de l'eau.

Siang-tse le suivit. Dans la cour, il vit quatre chameaux.

— Vieux seigneur, dit-il, gardez mes trois chameaux. Ça vous fera une belle série de sept.

— Une série ? Il y a trente ans, j'en possédais trois, de séries ! Mais les temps ont changé. Qui élève encore des chameaux ?

Le vieillard regarda longuement les quatre bêtes et ajouta, plein d'amertume :

— Vois-tu, pas plus tard qu'avant-hier, j'ai voulu réunir quelques hommes pour emmener ces bêtes paître au-delà de Si-k'eou. Personne n'a osé s'en charger. Ils ont tous peur de tomber sur l'armée. Pauvres bêtes, ça me fend le cœur de les voir souffrir ici ! Regarde-moi ces mouches ! Et les moustiques qui ne vont pas tarder à venir avec la grande chaleur...

— Vieux seigneur, gardez les miens. Je vous jure que ça vous fera une belle série. Envoyez-les paître au-delà de Si-k'eou. Ces bêtes sont gentilles comme tout ; on ne peut pas les laisser bouffer par les mouches et les moustiques !

La voix de Siang-tse se faisait suppliante.

— Qui a de l'argent ? Qui serait assez fou pour élever des chameaux, par les temps qui courent ? dit le vieil homme.

— Gardez-les. Donnez-m'en ce que vous voulez. Je veux m'en débarrasser ; je vais en ville chercher du travail.

Le vieillard examina Siang-tse une fois de plus et ne lui trouva rien d'un voleur. Puis il se tourna vers les trois chameaux. Un homme qui a eu en sa possession trois séries de chameaux est forcé d'avoir un faible pour ce genre d'animaux, exactement comme un éleveur de chevaux pour les chevaux, ou un bibliophile pour les livres. Et si, par-dessus le marché, il peut les avoir pour une bouchée de pain, il résiste difficilement au désir de les acquérir.

— Si j'étais riche, mon gars, je les garderais volontiers.

— Gardez-les donc. Vous en ferez ce que vous voudrez.

Le ton de sincérité de Siang-tse plongeait le vieillard dans l'embarras.

— Ecoute, mon gars, dit-il, à dire vrai, trois bêtes comme ça valaient trois lingots d'argent il y a trente ans. Mais maintenant, avec ces guerres... Tu ferais mieux d'essayer ailleurs.

— Donnez-moi ce que vous voulez.

Siang-tse ne trouvait pas d'autres mots. Il croyait ce que lui disait le vieillard et ne voulait plus prendre le risque de courir ailleurs.

— Oui, mauvaise période... Débourser vingt ou trente yuans, c'est dur.

Siang-tse eut comme un coup au cœur. Vingt ou trente yuans seulement ! Il était loin du compte, pour l'achat d'un pousse.

— Donnez ce que vous voulez, répéta-t-il néanmoins.

Il voulait en finir au plus vite et ne pensait pas pouvoir trouver plus offrant.

— Je vois bien que c'est pas ton métier, mon gars. Que fais-tu dans la vie ?

Siang-tse lui raconta son histoire.

— Ainsi donc, tu as emmené ces bêtes au prix de ta vie ?

Le vieillard eut pitié de Siang-tse.

En même temps il était soulagé de voir que ces chameaux ne provenaient pas d'un vol. Du moins, pas directement : les soldats s'étaient en effet chargés de la chose, en pillards qu'ils étaient. De toute manière, en temps de guerre, on ne peut pas juger les choses selon les normes habituelles.

— Si tu veux bien, mon gars, je t'en donne trente-cinq yuans. Je serais un chien, si je te disais que ce n'est pas bon marché ; mais que je sois aussi un chien, si je peux t'en donner un centime de plus ! Que veux-tu, j'ai plus de soixante ans...

Siang-tse ne savait que décider. D'habitude, il ne cédait jamais à la légère, dès que de l'argent était en jeu. Mais après tout ce que les soldats lui avaient fait subir, il était sensible aux paroles humaines et affectueuses du vieillard. Et puis, un tien vaut mieux que deux tu l'auras. N'empêche, trente-cinq yuans ne pesaient vraiment pas lourd, vu la marchandise et le prix qu'il avait payé en nature pour l'avoir.

— Les chameaux sont à vous, dit-il enfin. Je vous demanderai seulement une veste et un peu à manger.

— Pour ça, d'accord.

Siang-tse avala plusieurs gorgées d'eau froide. Puis, habillé d'une vieille veste blanche, nanti de deux galettes, et trente-cinq yuans en poche, il repartit à grands pas vers la ville.

4

Siang-tse resta couché trois jours durant dans une petite auberge de Hai-tian, dans la banlieue nord-est de Pékin. Tantôt fiévreux, tantôt grelottant, les gencives enflées, il ne mangea rien et fut en proie à une soif continuelle. Après trois jours de jeûne, la fièvre diminua ; son corps devint plat comme un ballon dégonflé. Au dire des aubergistes, il avait débité, au plus fort du délire, des paroles inintelligibles où il était question de trois chameaux qui semblaient, en tout cas, lui causer bien du souci. Toujours est-il que, à son réveil, on l'avait déjà surnommé : Siang-tse le Chameau.

Depuis qu'il était en ville, on l'avait toujours appelé Siang-tse, sans songer à lui demander son nom de famille. Désormais, il serait connu sous le nom de Siang-tse le Chameau. En fin de compte, les trois chameaux lui avaient rapporté peu d'argent, mais un sobriquet. Décidément, il avait perdu sur toute la ligne, dans cette affaire !

A peine levé, il voulut sortir pour faire un tour. Ses jambes étaient en coton. Devant la porte de l'auberge, il dut s'asseoir. La tête lui tournait et une sueur froide lui couvrait le front. Un bon moment après, il rouvrit les yeux. Il avait des gargouillements dans le ventre et il sentait un peu la faim. En se levant péniblement, il demanda à un vendeur ambulant un bol de soupe aux raviolis. S'étant rassis, il but une gorgée de soupe, la garda longtemps dans la bouche et se força à l'avaler.

Écœuré, il continua cependant à ingurgiter cette soupe qui lui descendait tout droit dans l'estomac. Quand il eut fini, il rota à deux reprises. Il était revenu à la vie.

Il n'en avait pas moins terriblement maigri. Son pantalon était on ne peut plus sale. Il n'était pas question pour lui de se présenter ainsi en ville. Il avait besoin – car il aimait la propreté, par nature – de se laver, de se faire couper les cheveux, de changer de vêtements, d'acheter des chaussettes et des souliers. Cela entraînerait fatalement des dépenses. Mais d'un autre côté, il avait envie de se traiter mieux, après toutes les souffrances endurées pendant sa captivité. Tout s'était passé comme dans un cauchemar dont il était sorti vieilli. Ses grandes mains et ses pieds étaient bien à lui ; et cependant, il avait l'impression de les avoir retrouvés par hasard. Bien qu'il évitât de penser aux humiliations et périls passés, il ne pouvait les chasser complètement de son esprit. Ils y restaient suspendus, comme les nuages noirs d'un jour maussade. Il résolut de faire peau neuve, au plus vite, malgré sa débilité. Il fit une toilette complète et s'acheta de quoi s'habiller de neuf. A cet effet, il dépensa deux yuans et demi : un yuan pour un ensemble veste et pantalon en tissu grossier, huit maos pour une paire de chaussures de toile verte, un mao et demi pour une paire de chaussettes, et deux maos et demi pour un chapeau de paille. Après avoir échangé ses vêtements sales contre deux paquets d'allumettes, il prit la grand-route en direction de la porte Si-tche.

Il n'eut pas besoin d'aller plus loin pour se rendre compte de sa faiblesse ; marchant d'un pas mal assuré, il fut bientôt pris de vertige. Appuyé contre un saule, il essaya de retrouver son équilibre, sans consentir à s'asseoir. Il s'essuya le front et se remit en route. Il estimait qu'il avait suffisamment dorloté son corps pour que ce fût au tour de ses jambes de travailler. Il marcha d'une seule traite jusqu'à Kuan-hiang, non loin de la porte Si-tche. C'était déjà l'entrée de la grande ville. En retrouvant l'extraordinaire ambiance, faite du vacarme et du mouvement des gens et des véhicules, Siang-tse eut

envie de se prosterner pour embrasser la terre poussiéreuse – terre mille fois chérie où il poussait de l'argent !
Sans parents, sans famille, il n'avait pour ami que cette
vieille cité, qui lui avait tout donné. Même crevant de
faim, mieux valait encore être ici qu'à la campagne. Il
s'y trouvait toujours quelque chose à voir ou à entendre.
Ceux qui travaillaient pouvaient gagner de l'argent et
acheter tout ce qu'ils voulaient. Même les mendiants
buvaient de la soupe grasse.

Passé le pont Kao-liang, Siang-tse s'assit sur la berge
et se mit à pleurer.

Le soleil se couchait. Les vieux saules, aux cimes
teintées d'or, se penchaient. La rivière n'était en réalité
qu'un mince filet d'eau, dans lequel traînaient des
herbes, en longs rubans vert foncé et odorants.

Au nord de la rivière, les blés montraient déjà leurs
épis couverts de poussière. Au sud, les feuilles de lotus
flottaient nonchalamment sur de petits étangs ; autour
des feuilles, se formaient sans cesse des bulles fragiles.
Sur le pont, les passants semblaient s'agiter encore plus
frénétiquement dans la lumière du couchant, comme s'ils
avaient été pressés par l'approche de la nuit. Tout ce petit
monde était terriblement vivant aux yeux de Siang-tse.
Pour lui, ce qu'il avait en face de lui – la rivière, les arbres, les blés, les feuilles de lotus, le pont, les passants –
était ce qu'il y avait de plus attachant au monde, puisque
ces choses appartenaient toutes à la ville, sa ville.

Pourquoi donc se presser ? Il faut savoir s'accorder le
loisir de goûter ces spectacles délicieux et familiers.
Après être resté longtemps assis, il alla près du pont,
pour manger un bol de pâtes de soja. Ces pâtes tendres et
chaudes, assaisonnées de vinaigre, de sauce de soja,
d'huile de piment et de persil, dégageaient une odeur
exquise. Siang-tse en eut le souffle coupé. Les yeux fixés
sur le persil haché d'un vert tendre, il sentit le bol
trembler entre ses mains. La première bouchée de pâtes

lui parcourut le corps comme une traînée de chaleur. Il ajouta deux cuillerées de piments. A la fin, sa veste était trempée de sueur. Les yeux mi-clos, il tendit son bol vide en criant :

— Encore un !

Après le repas, il retrouva son énergie d'antan. Le soleil était encore en suspens, dans le ciel. La rivière scintillait de reflets rouges et or. Tâtant d'une main sa cicatrice à l'oreille droite, de l'autre l'argent dans sa poche, Siang-tse eut envie de clamer sa joie. Il regarda une dernière fois le dernier rayon de soleil accroché à un coin de la muraille. Il oublia sa maladie et tout le reste. Comme pour accomplir un vœu, il décida d'entrer dans la ville.

La gueule béante et profonde de la porte engloutissait toutes sortes de gens et de véhicules. Tout le monde voulait aller vite, mais personne n'avait le front de dépasser les autres. Les claquements de fouet, les cris, les klaxons, les clochettes, les rires faisaient un vacarme qu'amplifiait la large voûte de la porte. Siang-tse essaya tant bien que mal de caser ses grands pieds et finit par se laisser porter par la foule, tel un gros poisson dans la mer.

Franchie la porte, il vit le carrefour Sin-kie-k'eou, point de départ de sa malheureuse randonnée. Les rues lui parurent plus spacieuses et plus droites. Ses yeux brillèrent comme brillaient les toits des maisons, à l'est, et il hocha la tête de satisfaction.

Ses draps et ses couvertures se trouvaient au garage Jen-ho, sur l'avenue Si-an. Son premier mouvement fut de s'y précipiter. Il y habitait depuis toujours, bien qu'il ne prît pas forcément en location les pousses du garage.

Le patron, Liou le Quatrième Seigneur, approchait de sa soixante-dixième année. Malgré son âge, il n'en restait pas moins autoritaire et roublard. Dans sa jeunesse, il avait été soldat. Il avait tenu une maison de jeux et fait du trafic d'esclaves. Il possédait toutes les qualités nécessaires à ces métiers : force, ruse, goût des combines, etc. Il avait « de la classe », comme on disait dans le milieu. A l'époque des Mandchous, pour avoir enlevé des femmes et participé à des bagarres, il avait subi jusqu'au bout, sans broncher, le châtiment qui consistait à rester agenouillé sur des cordes de fer. Son procès l'avait laissé froid ; et ça c'était bien de sa « classe » ! A sa sortie de prison, on était déjà en république. Il n'était plus guère recommandé d'avoir maille à partir avec la police. Liou, voyant que jouer les durs n'était plus rentable, avait donc ouvert un garage de pousses. Riche de ses expériences passées, il était passé maître dans l'art de manier les pauvres, et savait quand il fallait être sévère et quand on pouvait se montrer aimable. Aucun tireur n'osait lui chercher querelle. Alternant regards de colère et éclats de rire, il vous soumettait à ses caprices, et vous étiez privé de tous vos moyens. Il possédait une soixantaine de pousses, tous d'excellente qualité ; même les plus moches étaient aux trois quarts neufs. Il ne gardait jamais les pousses abîmés. Le prix de location, chez lui, était plus élevé que la normale. Mais au moment des fêtes, il accordait un ou deux jours gratuits de plus qu'ailleurs. Au garage Jenho, tous les tireurs célibataires étaient logés sans bourse délier. Mais on devait payer régulièrement la location du pousse. Sinon, Liou gardait vos draps et vos couvertures et vous flanquait dehors comme une bouilloire percée. En revanche, lorsqu'un tireur était dans le pétrin ou malade, il se dépensait sans compter pour lui venir en aide. Cela aussi faisait partie de sa « classe » !

Quatrième Seigneur, si l'on s'en tient à la classification des physionomistes, appartenait à l'espèce des tigres. A soixante-dix ans, il avait encore le buste droit. Il pouvait parcourir, d'une traite, dix ou vingt lis. De gros yeux ronds, un gros nez, une bouche carrée, deux grosses dents de devant – dès qu'il ouvrait la bouche, oui, il avait tout l'air d'un tigre. A peu près de la taille de Siang-tse, il avait la tête tondue et le visage imberbe.

Pour toute progéniture, il n'avait qu'une fille qui appartenait, elle aussi, à la catégorie des tigres. Avec une tête qui lui avait d'ailleurs valu le surnom de « Tigresse », justement, elle faisait peur même aux hommes. Elle était virile, tant par le physique et par le caractère que dans sa manière de pousser des jurons, parfois plus crus et plus mordants que ceux des mâles. Elle n'en secondait pas moins son père avec efficacité. Tandis que le père s'occupait des relations avec l'extérieur, elle assurait la bonne marche des affaires intérieures. A eux deux, ils faisaient régner un ordre impeccable dans le garage Jen-ho qui n'avait pas tardé à s'imposer dans le monde des tireurs. Leurs méthodes étaient souvent citées à titre d'exemple, aussi bien par les tireurs eux-mêmes que par les autres loueurs de pousses.

Avant de posséder le sien propre, Siang-tse avait commencé par louer un pousse au garage. Il avait confié ses économies à Quatrième Seigneur, afin de les avoir en lieu sûr. Lorsque la somme avait été enfin réunie, il l'avait récupérée pour acheter son beau pousse à lui.

— Quatrième Seigneur, non mais regardez-moi ça !

Siang-tse, le jour de l'achat, avait tiré le pousse flambant neuf jusqu'au garage.

— Pas mal !

Le vieux Liou avait hoché la tête en signe d'approbation.

— Mais je reste ici. Je déménagerai seulement si quelqu'un me prend au mois.

— D'accord, avait approuvé le vieillard, d'un second signe de tête.

Depuis lors, Siang-tse avait déménagé chaque fois qu'il était employé chez un particulier. Quand cela ne marchait plus, il revenait au garage.

Avoir la possibilité de loger au garage, sans être obligé d'y louer son pousse, était un privilège rare, aux yeux des autres tireurs. Certains étaient allés jusqu'à supposer que Siang-tse était un parent du vieux Liou. D'autres avaient pensé que Quatrième Seigneur songeait tout simplement à le prendre pour gendre. Cette seconde hypothèse avait suscité des jalousies : si jamais elle se révélait vraie, Siang-tse deviendrait, après la mort de Quatrième Seigneur, le patron du garage. Aussi n'osait-on pas faire de réflexions devant lui.

En réalité, la faveur du patron reposait sur autre chose. Le vieux Liou avait vu que Siang-tse était un type doué d'un fond excellent, qu'il conservait en n'importe quelle circonstance. S'il était soldat, par exemple, il ne tirerait pas parti de son uniforme pour faire du mal. Au garage, jamais il ne chômait ; il nettoyait les pousses, gonflait les pneus, faisait sécher les toiles, huilait les roues... Sans qu'on le lui demandât, il faisait les corvées, comme par amusement. Le garage abritait d'ordinaire une vingtaine de tireurs. Après le travail, les uns bavardaient, les autres dormaient ; il n'y avait que Siang-tse qui ne s'arrêtait jamais. Au début, tout le monde avait cru qu'il cherchait à lécher les bottes du patron. Mais son air si parfaitement naturel et sincère avait fini par venir à bout des médisances.

Le patron n'avait d'ailleurs jamais une bonne parole pour lui. Toutefois, il savait bien que Siang-tse n'était pas de la même trempe que les autres. Avec lui, au moins, la cour et le seuil de la porte étaient toujours proprement balayés. C'était la seule raison pour laquelle il lui avait réservé un statut spécial. Quant à Tigresse, elle aimait bien ce grand gaillard. Il écoutait avec patience tout ce qu'elle disait. Avec les autres, il lui était impossible de tenir conversation. Ces tireurs, éternellement exploités et brimés, répondaient toujours d'un air bougon. Quand elle avait quelque chose à dire, elle attendait de voir

Siang-tse pour lui en parler. Chaque fois qu'il avait travaillé au mois chez un particulier, il avait beaucoup manqué aussi bien au père qu'à la fille.

Siang-tse, tenant à la main ses deux paquets d'allumettes, entra donc, ce soir-là, au garage Jen-ho. Il ne faisait pas encore nuit. Quatrième Seigneur et sa fille étaient en train de dîner. En le voyant, Tigresse posa ses baguettes :

— Qu'est-ce qu'il t'est arrivé ? T'as été emporté par un loup, ou bien es-tu allé chercher de l'or en Afrique ?

— Hum, se contenta de grommeler Siang-tse.

Quatrième Seigneur le regardait de ses gros yeux ronds, sans rien dire.

Siang-tse, gardant son chapeau de paille neuf sur la tête, s'assit en face d'eux.

— Si tu n'as pas encore dîné, mange avec nous, lui proposa Tigresse, amicalement.

Siang-tse ne bougea pas. Il était toutefois touché d'être accueilli si chaleureusement.

— Je viens de manger deux bols de pâtes de soja, répondit-il.

— Qu'est-ce que tu as fait, pendant tout ce temps ?

Le vieux Liou continuait à le regarder de ses gros yeux globuleux.

— Et le pousse ? demanda-t-il soudain.

— Le pousse ?

La voix de Siang-tse s'étrangla dans sa gorge.

— Tu prendras bien un bol de riz ; c'est pas du poison ! Tes deux bols de pâtes de soja sont déjà loin.

Tigresse l'entraînait par le bras : elle le traitait comme elle eût traité un petit frère.

Avant de toucher à la nourriture, Siang-tse sortit une liasse de billets et dit :

— Quatrième Seigneur, gardez ça pour moi. Trente yuans.

Il remit dans sa poche la petite monnaie.

— D'où est-ce que ça vient ? s'enquit le vieillard, en haussant les sourcils.

Siang-tse, tout en mangeant, raconta ses mésaventures avec les soldats et l'histoire des chameaux.

— Espèce d'imbécile ! s'exclama Quatrième Seigneur en secouant la tête. Si tu les avais traînés jusqu'en ville, tes chameaux, tu aurais eu plus de dix yuans de chacun, même chez un boucher. En hiver, ç'aurait été encore mieux, parce qu'alors, avec leur pelage, ils valent le double.

A ces mots, Siang-tse, qui était déjà rongé de regrets, sentit un pincement au cœur. Il se consola en pensant qu'il eût été tout de même ignoble de livrer aux bouchers les trois chameaux, ses pauvres compagnons de malheur.

Pendant que Tigresse desservait la table, son père, comme se rappelant quelque chose, dit, avec un sourire sceptique qui découvrit ses dents de fauve :

— Mon pauvre idiot ! Tu racontes que t'as été à Hai-tian. Mais pourquoi n'es-tu pas rentré directement par la route de Houang-ts'ouen ?

— J'ai fait un détour par la colline de l'Ouest. J'avais peur d'être poursuivi. Et puis, je ne voulais pas non plus être pris pour un déserteur par les gens du village.

Quatrième Seigneur sourit. Il s'était demandé si l'argent ne provenait pas de quelque affaire louche. N'avait-il pas lui-même commis des actes contre la loi ? Maintenant qu'il était un homme rangé, il se devait de faire attention. Mais l'explication de Siang-tse lui parut satisfaisante ; il se tranquillisa.

— Qu'est-ce qu'il faut que j'en fasse ? demanda le vieillard, en désignant l'argent.

— A vous de décider.

— Tu veux racheter un autre pousse ?

Quatrième Seigneur montra de nouveau ses dents de tigre, d'un air de dire : « As-tu l'intention de rester encore ici gratuitement, lorsque tu auras ton pousse ? »

— De toute façon, ça suffit pas, répondit Siang-tse. Si j'en achète un, j'en veux un neuf.

Plongé dans ses calculs, il ne remarqua pas les dents du vieux Liou.

— Et si je te prêtais de l'argent ? Ce serait à un pour cent d'intérêt. Ailleurs, tu en aurais pour deux et demi.

Siang-tse fit un signe de refus.

— Et moi, reprit le vieux, je te dis, grosse andouille, que tu as intérêt à me payer ce un pour cent, plutôt que d'acheter ton pousse à crédit.

— Non, je ne veux pas acheter à crédit, dit Siang-tse d'un ton pensif. J'économiserai petit à petit, et je paierai comptant.

Le vieux Liou le regarda d'un air ahuri, comme s'il s'était trouvé devant une page de caractères mal écrits et indéchiffrables ; ça l'agaçait, sans qu'il vît aucun motif de se mettre en colère. Au bout d'un moment, il ramassa l'argent.

— Trente, c'est bien ça ?

— C'est juste.

Siang-tse se leva.

— Je vais me coucher, ajouta-t-il. Voilà des allumettes pour vous.

Il en posa un paquet sur la table. Puis il ajouta, après une légère hésitation :

— Pas un mot aux autres sur l'histoire des chameaux.

5

Bien que Quatrième Seigneur eût gardé bouche cousue au sujet des chameaux, l'histoire fit son chemin depuis Hai-tian jusqu'en ville.

Autrefois, on trouvait Siang-tse plutôt têtu et ombrageux, à cause de son ardeur au travail. Maintenant qu'on l'appelait Siang-tse le Chameau, il n'en était pas plus sociable pour autant, mais il jouissait d'une autre réputation. Les uns disaient qu'il avait trouvé une montre en or ; d'autres, qu'il avait gagné d'un seul coup trois cents yuans. Ceux qui se croyaient les mieux renseignés prétendaient qu'il avait ramené, de la colline de l'Ouest, trente chameaux. Tous les potins, si variés qu'ils fussent, aboutissaient à la même conclusion : Siang-tse avait fait une affaire sensationnelle ! Aux yeux de ces pauvres coolies, qui rêvaient tous de la bonne aubaine qui changerait brusquement leur sort, Siang-tse était un protégé du destin et méritait donc d'être respecté, même s'il n'était pas précisément sympathique. On excusait maintenant son attitude réservée qui ne pouvait convenir qu'à un homme de distinction. Tous brûlaient de lui demander : « S'il te plaît, Siang-tse, raconte un peu comment tu as fait fortune. »

Siang-tse en avait les oreilles rebattues. Il ne répondait pas. Parfois, pressé de tous côtés, il explosait, et sa cicatrice devenait alors toute rouge :

— Fortune ? Quelle fortune ? Merde, alors ! Et où il est, mon pousse ? Où c'est que vous le voyez, vous ?

Eh oui ! où était-il son pousse ? On se le demandait. Mais comme il est fatigant, à la fin, de s'occuper des affaires des autres, on abandonna bientôt la partie. On devait bien constater, d'ailleurs, que Siang-tse continuait à tirer, sans changer de métier, ni acheter de terrain ou de maison. Du temps passa, et on se désintéressa de lui. On l'appelait tout naturellement Siang-tse le Chameau, comme si tel avait toujours été son nom.

Siang-tse, lui, n'oubliait pas : il ne rêvait plus que d'acquérir un autre pousse. Plus il y pensait, plus il regrettait l'ancien. Tous les jours, il trimait, du matin au soir, sans parvenir à se consoler de la perte de son gagne-pain. Il se disait : « A quoi bon vouloir être fort et honnête, puisque le monde n'en serait pas plus juste ? » Au nom de quoi l'avait-on dépouillé de son pousse ? A supposer qu'il en achetât un autre, comment pouvait-il être sûr de ne pas le perdre aussi, celui-là ? Le passé était un cauchemar ; l'avenir... mieux valait ne pas y penser.

Parfois, il enviait ceux qui buvaient, qui fumaient ou qui fréquentaient les bordels. Ils avaient peut-être raison. Sans aller jusqu'à chercher les putains, il aurait pu, au moins, s'adonner de temps en temps à la boisson ou fumer un peu. Il pouvait, sans grands frais, y trouver la consolation et l'oubli, et même le courage de continuer.

Néanmoins, il n'osait pas y goûter. Il lui fallait, coûte que coûte, économiser, pour acheter au plus tôt un autre pousse, dût-il le perdre encore une fois. Il y mettait tout son désir, son espoir, sa foi.

S'il aimait de moins en moins desserrer les cordons de sa bourse, il était de plus en plus âpre au gain. Il s'était fixé une certaine somme pour ses recettes de chaque jour. Tant qu'il ne la dépassait pas, il ne rentrait pas. Souvent, il travaillait tard dans la nuit, sans aucun égard pour ses malheureuses jambes. Autrefois, il ne daignait jamais disputer les clients aux tireurs âgés. Maintenant, il était sans scrupule. Obsédé par la nécessité de gagner de l'argent, il bondissait sur toutes les occasions, comme un fauve affamé sur sa proie. Seul, le travail sans relâche pouvait lui rendre son pousse.

Il va sans dire que, du coup, le Chameau tomba de cinquante crans dans l'estime des autres tireurs. Que de fois, ayant « décroché » un client, il se sauva à toutes jambes avec son pousse, sous une grêle d'invectives et de malédictions. Tout en courant, tête baissée, il se répétait : « Si c'était pas pour acheter un pousse, je ne ferais sûrement pas ça ! » Il aurait voulu le dire aux autres tireurs, pour implorer leur pardon. Car aux stations ou dans les maisons de thé, les autres tireurs le foudroyaient du regard en le voyant arriver. Il se serait parfois volontiers expliqué avec eux ; mais n'étant pas leur compagnon de jeu, il ne réussissait pas à les approcher et ne pouvait que tenir sa langue.

Peu à peu, son embarras se transforma en colère, et il se mit à les regarder de travers. Il souffrait profondément du contraste entre le mépris qu'on lui témoignait et la considération dont il avait joui, à son retour de la colline de l'Ouest. Dans les maisons de thé, seul à une table, il comptait les pièces qu'il venait de gagner. Aux stations, il s'efforçait de réprimer sa colère. Il n'aimait pas la bagarre, encore qu'il n'en eût pas peur. Les autres, d'ailleurs, réfléchissaient à deux fois avant d'en venir aux mains avec Siang-tse ; personne n'avait le courage de se mesurer avec lui. On pouvait évidemment lui tomber dessus à plusieurs ; mais ce n'était pas de jeu.

Pour en finir, Siang-tse ne pouvait que ronger son frein. Une fois qu'il aurait son pousse, plus besoin de se faire de bile pour la location : il pourrait de nouveau se permettre des largesses. A cette pensée, il jetait un regard conciliant autour de lui, comme pour dire : « Qui vivra verra ! »

N'empêche que, dans son propre intérêt, il n'aurait pas dû s'échiner ainsi. Depuis son retour, à peine sorti de sa maladie, il avait repris le travail. Sans vouloir se l'avouer, il éprouvait souvent une grande fatigue. Il ne se reposait pas, pensant qu'il suffisait de transpirer abondamment pour faire disparaître les courbatures. Sans se priver, il évitait cependant de dépenser pour faire bonne chère. Bien qu'il eût beaucoup maigri, du moment qu'il conservait sa haute stature et sa charpente solide, il n'y avait pas lieu de s'inquiéter outre mesure.

Tigresse, à plusieurs reprises, le mit en garde :

— Si tu continues comme ça, tu vas crever. T'auras qu'à t'en prendre à toi-même, quand tu cracheras du sang.

Il savait qu'elle l'avertissait pour son bien. Mais la moutarde lui montait facilement au nez, quand il n'était pas en forme. Aussi rétorqua-t-il, un jour, les sourcils levés :

— Si je suis tes conseils, j'aurai mon pousse quand les coqs pondront des œufs.

Si un autre lui avait répondu sur ce ton-là, Tigresse l'eût abreuvé d'injures, des heures entières. Avec Siang-tse, elle était d'une patience angélique. Elle se contenta de faire la moue et de dire :

— Tu as une santé de fer, je veux bien. Tout de même, repose-toi au moins trois ou quatre jours.

Et comme Siang-tse s'entêtait :

— Bon, bon, rétorqua-t-elle, t'en fais qu'à ta tête. Très bien. Mais ne viens pas m'embêter après ta mort !

Quatrième Seigneur ne voyait pas non plus d'un bon œil le labeur acharné de Siang-tse. Cela ne pouvait pas faire de bien à ses pousses. La location était valable pour la journée, sans limite d'heures. Si tout le monde se mettait à faire comme lui, ses pousses seraient hors d'état, bien avant terme. Et Siang-tse n'aidait plus guère à l'entretien du garage. Quatrième Seigneur n'était pas content ; mais il se taisait – après tout, Siang-tse n'était pas tenu de s'acquitter des corvées, et un homme de la « classe » de Liou, n'est-ce pas, ne s'abaissait pas à chercher querelle sans raison. Il ne pouvait exprimer sa rancune que par des regards furibonds ou par un pincement de lèvres. Parfois, une envie irrésistible le prenait de flanquer Siang-tse dehors ; pourtant il y renonçait, dès qu'il voyait sa fille. Non qu'il songeât le moins du monde à prendre le gaillard pour gendre, mais il voyait bien que Tigresse avait de l'amitié pour lui. C'était sa fille unique qui, apparemment, n'avait plus l'espoir de se marier. D'ailleurs il préférait, égoïstement, éviter un mariage ; il aurait difficilement pu se passer de ses services. A cause de cela, il se sentait plus ou moins fautif à son égard : cet homme roublard et qui n'avait jamais froid aux yeux en était venu, dans sa vieillesse, à avoir peur de sa propre fille. Cette crainte et ce sentiment de culpabilité lui procuraient toutefois la satisfaction de sentir qu'il n'était pas un homme entièrement dépourvu de cœur. Naturellement, il ne laisserait jamais sa fille faire n'importe quoi – c'est-à-dire épouser Siang-tse, par exemple. Son opinion était que Tigresse devait y songer un peu ; mais Siang-tse n'oserait jamais aller jusqu'à cette prétention, se rassurait-il. Et il se promettait d'y veiller, en tout cas. Pas la peine de provoquer des drames à l'avance.

Siang-tse, lui, ne prêtait aucune attention aux grimaces du vieillard. Il avait envie de quitter le garage Jen-ho. Pas parce qu'il était fâché contre le patron – non, mais il comptait travailler au mois chez un particulier. Il commençait à être fatigué de gagner sa vie au jour le jour. En disputant tout le temps des clients aux autres, il s'attirait le mépris général. D'autre part, sans revenus fixes, il ne voyait vraiment plus quand il parviendrait à réunir la fameuse somme.

Il réussit à se placer, une fois de plus, chez un particulier. Les résultats ne furent pas plus brillants. Son patron, un certain M. Yang, originaire de Shanghai, avait deux femmes. La première était de Tien-tsin – du nord de la Chine –, la seconde, de Sou-tcheou – du sud. Dès le premier jour, notre tireur faillit en perdre la tête. A l'aube, la Première Dame prit le pousse pour aller au marché. A peine de retour, Siang-tse se mit en devoir de déposer les enfants à l'école. Les uns fréquentaient le lycée, d'autres, l'école primaire, et le reste, l'école maternelle. Malgré les différences d'âge, ils présentaient tous un trait commun : ils étaient des gamins mal élevés. Sur le pousse, on eût dit de vrais singes. Après les enfants, ce fut le tour de M. Yang, qui se rendait au yamen. Du yamen, Siang-tse se hâta de revenir pour emmener la Seconde Dame au marché Tong-an ou chez des amies. C'était déjà l'heure d'aller chercher les enfants pour le déjeuner. Après le déjeuner, de nouveau la course à l'école. Au retour, Siang-tse crut pouvoir enfin prendre son repas ; mais voilà que la Première Dame lui criait, avec son accent de Tien-tsin, de rapporter de l'eau. Ce travail-là, ce n'était pourtant pas à lui de s'en acquitter. Pour ne pas faire mauvaise impression, Siang-tse alla, sans mot dire, remplir de grands seaux d'eau. Il s'apprêtait à s'attabler lorsque la Seconde Dame le chargea d'une course. Les deux dames ne pouvaient pas se sentir ; elles étaient cependant d'accord sur le principe qu'il ne fallait pas laisser les domestiques une minute inactifs, et qu'on devait surtout leur éviter de manger. Siang-tse, estimant que la première journée devait être exceptionnellement lourde, encaissa le tout. Il sortit de sa poche ses propres sous pour acheter quelques galettes. Ce geste lui coûtait : chaque sou avait été gagné au prix de tant de peines !

Après la course, la Première Dame lui ordonna de nettoyer la cour. L'élégance de M. Yang et de ses deux femmes, quand ils sortaient, contrastait étrangement avec la saleté immonde de leur cour. Ecœuré, Siang-tse se mit à la balayer, oubliant une fois de plus que ce n'était pas son travail. La Deuxième Dame lui demanda, pendant qu'il y était, de faire le ménage de la maison. Siang-tse se soumit. Il fut stupéfait de trouver la même saleté à l'intérieur, et se demanda par quel miracle les deux dames réussissaient à garder une apparence d'élégance dans des conditions pareilles. Le nettoyage terminé, il se vit confier par la Seconde Dame un bambin crasseux de quelques mois. Là, il perdit tous ses moyens. De sa vie il n'avait porté de bébé dans les bras. Il tenait ce « petit seigneur » dans ses deux grosses mains, complètement désorienté. S'il le serrait trop, il risquait de lui briser les os – et de le lâcher, s'il ne serrait pas assez. Tout en sueur, il alla demander du secours à la bonne mère Tchang.

C'était une femme peu commode, aux pieds immenses, qui venait du nord du fleuve Yang-tse. A peine s'était-il présenté, qu'il reçut une cascade d'injures. Cette mère Tchang était en effet réputée pour ses engueulades, qui lui avaient d'ailleurs permis de se maintenir chez les Yang depuis six ans, alors qu'on y changeait de domestiques tous les quatre matins. Les serviteurs étaient traités comme des esclaves : tout juste si leurs maîtres ne considéraient pas qu'on devait donner sa vie pour être digne du salaire. Mais le cas de la mère Tchang était différent. Face à son franc-parler pétri d'arrogance, les maîtres se trouvaient désarmés. La faconde shanghaïenne de M. Yang, l'accent viril de Tien-tsin de la Première Dame et les discours insinuants, dans le style de Sou-tcheou, de la Seconde Dame ne formaient pas un rempart assez solide contre les assauts de mère Tchang. Trouvant en elle une adversaire digne d'eux, ils l'avaient adoptée.

Siang-tse était un homme du Nord ; aussi avait-il une sainte horreur des disputes. Il n'osait pas cependant battre mère Tchang. Un homme ne se bat pas avec une femme ; il se contenta de la regarder d'un air furieux. Intimidée, mère Tchang se tut. Juste à ce moment-là, la Première Dame appela Siang-tse : il fallait ramener les enfants de l'école. Il en profita pour rendre le bambin à la Seconde Dame. Celle-ci y vit une impertinence, et commença à le sermonner vertement. La Première Dame, voulant justement empêcher Siang-tse de s'occuper du marmot de sa rivale, se jeta, elle aussi, dans la mêlée. N'osant pas s'adresser directement à la Seconde Dame, elle le fit par personne interposée. Les invectives entremêlées des deux femmes pleuvaient sur Siang-tse. Il battit en retraite et se précipita dehors. Il était tellement suffoqué qu'il en oublia de se fâcher.

Les gosses furent, les uns après les autres, ramenés à la maison. La cour devint plus bruyante qu'un marché. Les cris des trois femmes et les pleurs des enfants s'élevaient au-dessus du tumulte général. Le désordre était encore plus complet qu'à la sortie d'un théâtre. Siang-tse se félicita d'avoir à aller chercher M. Yang. Le vacarme de la rue lui était plus supportable.

A minuit, Siang-tse trouva enfin un moment pour souffler. Les gens de la maison Yang étaient tous couchés ; mais leurs cris continuaient à bourdonner dans ses oreilles, aussi fort que trois phonographes qu'on eût fait tourner à la fois dans sa tête. Il n'avait qu'une seule envie : dormir !

La vue de sa chambre le refroidit. Un petit cagibi, partagé en deux par des planches de bois, servait à loger les domestiques, c'est-à-dire mère Tchang et Siang-tse. Le côté réservé à Siang-tse n'avait pas de lampe et n'était éclairé que par le réverbère de la rue, dont la lumière blafarde pénétrait à travers l'embrasure d'une petite fenêtre, large de deux pieds. La chambre humide et nauséabonde, au sol de terre battue, possédait, en guise de lit, une planche posée près d'un des murs et qui ne faisait même pas la longueur d'un homme. Siang-tse comprit qu'il lui faudrait dormir, soit les jambes repliées, soit carrément assis. Cette manière de dormir en chien de fusil lui parut décidément impossible. Après avoir mûrement réfléchi, il mit la planche de biais, afin de pouvoir s'allonger plus confortablement.

Il apporta ses couvertures, les étala tant bien que mal sur le plancher et se coucha, les jambes en l'air, ce qui n'était pas tout à fait une position pour favoriser le sommeil. Il essaya de raisonner : « Il faut savoir endurer les souffrances. Après tout, j'ai vu pire. Tout cela me servira à gagner un peu plus d'argent. Pour le moment, je suis plutôt maltraité dans cette maison. Mais qui sait si, bientôt, on n'invitera pas des amis : on jouera au ma-jong, et les domestiques recevront des pourboires, ce qui, ma foi, n'est pas du tout négligeable. »

Cette pensée le calma. La puanteur de la chambre lui sembla moins forte que plus tôt. En sombrant dans un rêve, il sentit vaguement des punaises le piquer ; mais il n'avait plus la force de les écraser.

Le deuxième jour, la déception de Siang-tse atteignit son comble. Deux jours après, toutefois, on annonça des visiteurs. Mère Tchang dressa la table pour la partie de ma-jong. Siang-tse sentit son cœur frémir, comme un lac gelé sous la brise printanière.

Avant de commencer, on confia les enfants aux domestiques – ou plus exactement à Siang-tse, puisque mère Tchang était chargée de faire passer le thé, les cigarettes et les serviettes chaudes. Bien qu'il les détestât, il s'efforça de traiter ces petits singes en « jeunes seigneurs » ; il avait aperçu, par la porte du salon, la Première Dame compter avec sérieux la somme que les participants avaient remise avant le jeu, et qui, selon la coutume, revenait aux domestiques.

Après le jeu, la Première Dame l'appela pour reconduire les deux invitées chez elles. Siang-tse dut héler un second pousse. Comme il se devait, la Première Dame offrit de payer la course de son amie. Elle insistait pour la forme, et bien qu'elle fît mine de fouiller fébrilement dans sa poche, l'argent tardait à venir. Elle faisait sonner bien haut ses protestations :

— Mais, ma chère, il n'en est pas question ! Montez donc, c'est moi qui...

Elle se décida à sortir un billet d'un mao. Siang-tse vit ses mains trembler légèrement, quand elle le tendit au tireur.

A son retour, Siang-tse aida mère Tchang à ranger la table de jeu. Il leva les yeux sur la Première Dame. Celle-ci envoya mère Tchang chercher de l'eau chaude. Elle tendit à Siang-tse un billet froissé d'un mao.

— Prends ça, et ne me regarde pas ainsi !

Le visage de Siang-tse s'empourpra. Il se redressa de toute sa taille ; sa tête semblait presque toucher les poutres. Saisissant le billet, il le lança à la figure bouffie de sa patronne.

— Payez-moi mes quatre jours de travail, dit-il.

— Qu'est-ce que ça veut dire ? s'écria la dame.

Mais après avoir glissé un coup d'œil sur Siang-tse, elle n'insista pas et lui paya son dû.

Avec son pousse, dans lequel il avait jeté son paquet de couvertures, Siang-tse franchit la grande porte, sous une bordée d'injures.

6

Il en voulait non seulement à la famille Yang, mais à lui-même. Malgré sa vigueur, sa patience et sa volonté de réussir, il était incapable de conserver une place. Arriverait-il jamais à rien ? Tirant péniblement son pousse et traînant les pieds, il ne ressemblait plus au Siang-tse d'autrefois qui couvrait d'une seule traite une dizaine de lis.

Dans la grande rue, les passants étaient rares. L'éclatante lumière des lampes augmentait le vide de son cœur. Où aller ? La perspective de retourner au garage Jen-ho le déprimait. Il éprouvait le sentiment d'un commerçant qui préfère ne pas avoir de client du tout, plutôt que d'en voir arriver un qui s'en va après avoir jeté un coup d'œil dédaigneux dans la boutique.

Bien sûr, il n'y avait rien d'extraordinaire à ce qu'un tireur changeât de maître : un homme libre n'est pas à vendre. Il n'en trouvait pas moins humiliant de s'être tant échiné pour se retrouver au rang des vieux tireurs, qui changeaient de maître tous les quatre matins. Au garage on dirait : « Tiens, pour le Chameau aussi, ça n'a duré que trois jours ? »

Où aller ? Il se dirigea instinctivement vers l'avenue de la porte Si-an. La partie antérieure du garage Jen-ho se composait de trois pièces. Celle du milieu servait de guichet. Les tireurs venaient y payer leur location ou régler d'autres affaires, sans avoir la permission de s'y attarder, car de part et d'autre, se trouvaient les chambres à coucher du patron et de sa fille. A côté de la pièce de droite s'ouvrait une grande porte à deux battants peints en vert. Au-dessus de la porte était fixée une barre de fer recourbée, supportant une grosse ampoule nue. Elle éclairait une plaque sur laquelle étaient inscrits quatre caractères dorés : *Jen-ho-tch'e-tch'ang*. C'était par cette porte que les tireurs entraient et sortaient. Le soir, la lumière électrique faisait scintiller le vert du battant et les dorures des caractères. Les tireurs qui rentraient leurs pousses peints en jaune ou en noir, avec des coussins tout blancs, n'étaient pas peu fiers d'appartenir, comme ils le croyaient, à l'aristocratie des tireurs. Après avoir franchi le seuil et contourné la pièce de droite, on arrivait à une cour carrée, au milieu de laquelle se dressait un vieux sophora. Sur les côtés est et ouest il y avait des hangars pour les pousses et, au fond, les dortoirs des tireurs.

Il était près de onze heures lorsque Siang-tse vit la lumière vive et solitaire de la lampe du garage. Seule, la pièce de droite était éclairée. Tigresse n'était donc pas encore couchée. Il comptait rentrer sur la pointe des pieds. Il avait toujours joui de l'estime de Tigresse, et il ne voulait pas qu'elle fût la première à connaître son échec. A peine était-il sous sa fenêtre, cependant, qu'elle apparut dans l'embrasure de la porte.

— Eh, Siang-tse ? Qu'est-ce que ?...

Elle s'arrêta net, en apercevant la mine défaite de Siang-tse, ainsi que son bagage dans le pousse.

Décidément, il suffit de craindre que quelque chose n'arrive pour que ça vous tombe sur la tête. A la fois honteux et embarrassé, il resta planté, immobile. Ne sachant que dire, il regardait Tigresse, d'un air hébété. Il remarqua qu'elle avait légèrement changé. Etait-ce dû à la clarté de la lampe ou à de la poudre qu'elle s'était peut-être mise sur le visage ? Son teint paraissait, ce soir-là, plus clair que d'habitude – ce qui la rendait apparemment moins agressive. Visiblement, elle s'était mis du rouge sur les lèvres, et elle en tirait même un certain charme.

Frappé par ces détails, Siang-tse qui, jusqu'alors, ne l'avait jamais considérée en tant que femme, se sentit soudain troublé. Elle portait une veste de soie vert tendre et un pantalon noir en tissu fin. La veste scintillait dans la lumière, qui donnait au tissu une tonalité douce et mélancolique ; elle laissait voir une ceinture blanche qui rehaussait son aspect propre et lisse. Le pantalon large, qui avait quelque chose de mystérieux et de lugubre, flottait légèrement dans la brise, comme s'il avait été prêt à se fondre dans la nuit.

Siang-tse baissa les yeux : l'image de la veste verte et brillante restait gravée dans son esprit. Elle l'inquiétait, cette veste. D'habitude, Tigresse ne s'habillait jamais de la sorte, quoiqu'elle pût aisément s'offrir des vêtements de soie. Ayant affaire tous les jours avec les tireurs, elle ne portait que des ensembles dans des tissus qui, même de couleur, n'étaient jamais voyants.

La présence inattendue de Tigresse, ajoutée à ses autres soucis, le laissait interdit. Il n'osait faire un mouvement et souhaitait seulement que Tigresse se retirât dans sa chambre ou lui demandât un service quelconque. Il eût préféré n'importe quoi à ce silence, qui devenait un supplice intolérable.

— Eh bien ?

Elle s'avança et reprit à voix basse :

— Ne reste pas planté bêtement comme ça. Va ranger ton pousse et reviens ; j'ai deux mots à te dire.

Pour mettre fin à son embarras, il ne put qu'obéir, bien qu'il eût surtout envie d'être seul et de réfléchir. Il alla ranger son pousse dans le hangar. Les chambres, au fond de la cour, n'étaient pas éclairées. Les autres tireurs étaient couchés ou n'étaient pas encore rentrés.

Il revint ensuite à la chambre de Tigresse, le cœur battant.

— Entre donc. J'ai à te parler, lui dit-elle, sur un ton d'aimable reproche.

Il pénétra lentement dans la chambre.

Sur la table, étaient posés quelques poires encore vertes, un pichet de vin, trois coupes de porcelaine blanche et une grande assiette contenant la moitié d'un poulet, du foie fumé, des tripes en sauce, etc.

— Tu vois ? dit Tigresse, en l'invitant à s'asseoir, aujourd'hui, je m'offre un petit festin. Tu mangeras bien un morceau ?

Elle lui versa du vin dans une coupe ; aussitôt, une odeur épaisse et lourde se répandit dans la pièce, mêlée à celle de la viande.

— Bois donc, et goûte de ce poulet. Moi, j'ai déjà mangé. Allons, sers-toi, et pas de manières ! Figure-toi que, tout à l'heure, j'ai regardé dans les cartes. J'ai prédit que tu reviendrais ce soir. Je suis douée, non ?

— Pas de vin pour moi, dit Siang-tse, l'air absent.

— Si tu ne bois pas, tu peux foutre le camp ! Tu ne sais pas profiter de ma bonté, espèce de chameau têtu ! Ça ne te tuera pas ; même moi, j'en bois bien quatre onces, sans me soûler. Regarde !

Elle leva sa coupe remplie de vin, en vida la moitié, d'un trait, ferma les yeux pour mieux savourer, puis poussa un soupir de satisfaction.

— Toi aussi, tu vas me boire ça. Sinon, je saurai t'y forcer en te tirant les oreilles !

Siang-tse, de mauvais poil, n'était guère disposé à goûter la plaisanterie ; toutefois, il ne le montra pas, se rappelant qu'elle avait toujours été gentille pour lui et que c'était dans ses manières de rudoyer les gens. Ce n'eût pas été chic de la contrarier – d'autant qu'il éprouvait justement le besoin de se confier à quelqu'un. Lui qui, d'ordinaire, n'aimait pas parler, sentait les mots se presser dans sa gorge. Tigresse n'avait sûrement aucune intention malveillante, pensa-t-il. Il prit la coupe et la vida.

Un souffle chaud et puissant l'envahit tout entier. Il tendit le cou, se raidit et poussa deux rots pénibles.

Tigresse partit d'un grand éclat de rire. Siang-tse jeta un coup d'œil inquiet vers la chambre de gauche.

— Il n'y a personne !

Elle s'arrêta de rire, mais resta souriante.

— Le vieux est allé chez ma tante, pour fêter son anniversaire. Il y restera deux ou trois jours. Elle habite Nan-yuan.

Tout en parlant, elle lui remplit une autre coupe.

Il jugea qu'il y avait du louche dans ce qu'elle venait de dire. Néanmoins, il ne pouvait se résoudre à partir. Le visage de Tigresse, ses lèvres rouges, sa veste lisse et propre se rapprochaient de lui ; une étrange agitation le gagnait. Malgré la part de laideur qui lui restait, elle devenait vivante. Quelque chose de nouveau, en elle, l'avait transformée. Il n'osait pas chercher plus loin en quoi, au juste, consistait cette nouveauté qu'il ne voulait pas prendre à la légère, ni refuser entièrement. Il rougit. Pour se donner une contenance, il but une autre gorgée de vin. Il oubliait qu'il était venu se confier à elle. Les joues en feu, il ne pouvait s'empêcher de lancer à Tigresse quelques coups d'œil furtifs. Plus il la regardait, plus il se sentait troublé. Il émanait d'elle une force mystérieuse et envoûtante. Elle ne faisait plus partie de la réalité. Il entendit une voix intérieure lui conseiller : « Fais gaffe ! » Mais une autre enchaîna aussitôt : « Allons, un peu d'audace ! » Il but coup sur coup trois coupes de vin et perdit tout souci de prudence. La contemplant à travers un brouillard, il éprouvait une sensation délicieuse, inconnue, de courage et de liberté. Tigresse, qu'il avait toujours un peu crainte, se tenait devant lui, complètement inoffensive. En revanche, il devenait tout à coup puissant et plein d'autorité. Il ne tenait qu'à lui de la prendre, comme une chatte, dans ses bras.

La lampe une fois éteinte, la chambre se trouva plongée dans l'obscurité. Par la fenêtre, on discernait un ciel d'encre. De temps en temps, les étoiles se fondaient dans la voie lactée ou traçaient des sillons blancs et rouges dans l'espace obscur, avec des mouvements divers, tantôt légers, tantôt puissants, tantôt verticaux et tantôt obliques. D'autres dardaient une lumière incandescente, ou explosaient, s'épanouissaient comme des fleurs. Parfois plusieurs étoiles volaient ensemble, en faisant vibrer l'espace et en semant le désordre dans un champ céleste. Une comète surgit d'un coin du ciel. Dans sa trajectoire rapide, elle sembla percer les ténèbres, laissant derrière elle une longue traînée lumineuse. Soudain, comme débordante de joie, elle illumina tout un pan de ciel d'un dernier éclat, d'une blancheur céleste. Un instant ébranlé, l'univers se referma. Les étoiles regagnèrent leurs places initiales, souriantes dans le souffle de l'automne.

Sur la terre, comme pour répondre au jeu des étoiles, volaient de-ci de-là des lucioles, à la recherche de leur compagnon d'amour.

Le lendemain, Siang-tse se leva de bonne heure et sortit aussitôt avec son pousse. Il avait mal à la tête et à la gorge, mais il n'y attacha pas grande attention, sachant que le vin en était la cause. Assis près de la sortie d'un hou-tong, caressé par la brise, il attendit que le mal de tête lui passât. Une autre pensée, cependant, le travaillait et l'étouffait, sans qu'il pût s'en délivrer. Il était tourmenté par l'incident de la veille : il en avait honte et en redoutait les conséquences.

Qui était-elle donc, cette Tigresse ? Elle n'était plus vierge ; il l'avait appris quelques heures auparavant. Il l'avait toujours respectée. Jamais personne n'avait avancé qu'elle se livrait à des actions peu convenables. Il était vrai qu'elle était franche et directe, dans ses rapports avec les gens. Les tireurs, quand ils disaient du mal d'elle, parlaient en général de ses manières d'être, sans jamais faire allusion à rien d'autre. Alors, pourquoi cet incident de la veille ?

Et si Quatrième Seigneur l'apprenait ? Savait-il que sa fille n'était qu'une « marchandise détériorée » ? S'il ne le savait pas, comment parvenait-elle à porter seule cette ignominie ? Si au contraire, il le savait et laissait faire sa fille, alors c'eût été une infamie de continuer à fréquenter des gens pareils. De toute façon, si par hasard le père et la fille manigançaient quelque chose, de concert, il fallait couper toute relation avec eux, que le garage possédât soixante, six cents ou même six mille pousses. Siangtse n'était pas homme à se laisser manier : il achèterait un pousse, épouserait une femme, par ses propres moyens.

Néanmoins, durant les quelques courses qu'il fit sans entrain, il ne put détacher sa pensée de sa dernière aventure. Elle lui revenait à l'esprit, non pas de façon ordonnée, mais sous la forme d'une vague sensation d'intimité et de volupté.

L'envie le prit d'aller se soûler, pour se dégager de cette obsession intolérable.

Finalement, il n'en fit rien, jugeant trop bête de se détruire pour si peu.

Il était étonné de constater que, plus il cherchait à fuir Tigresse, plus il était tenté de la revoir. Cette tentation augmenta à mesure que le jour baissait. Allait-il, comme poussé par une main puissante et invisible, vers un objet qu'il savait dangereux, comme autrefois, lorsqu'il était petit et qu'il fourrait une tige de bambou dans une ruche d'abeilles ?

Il reprit le chemin de la porte Si-an. Sans plus d'hésitation, il voulut retourner droit vers elle. Elle n'était, après tout, qu'une femme. A cette idée, une chaleur lui parcourait tout le corps.

A proximité de la porte, un homme d'une quarantaine d'années passa près de lui. Instinctivement, il proposa :

— Un pousse ?

— C'est toi, Siang-tse ? s'écria l'homme, après l'avoir dévisagé un instant.

— Mais oui, monsieur Ts'ao ! répondit Siang-tse, avec un large sourire.

— Au fait, Siang-tse, es-tu libre ? Et si oui, veux-tu venir travailler chez moi ? Je cherche justement un bon tireur pour remplacer celui que j'ai en ce moment : il est trop paresseux. Il ne court pas mal, mais il ne nettoie jamais le pousse. Tu peux ?

— Bien sûr, monsieur.

Siang-tse s'essuya le visage avec une serviette. Trop content, il ne sut que rire, la bouche béante.

— Quand est-ce que je commence ?

— Eh bien, ma foi...

M. Ts'ao réfléchit un instant.

— Après-demain, si tu veux, reprit-il.

— Entendu, monsieur, dit Siang-tse.

Puis il ajouta :

— Je vais vous conduire à la maison.

— Ce n'est pas la peine. D'ailleurs, je n'habite plus le même endroit. Tu sais, je pense, que nous avons été entre-temps à Shang-haï ? Maintenant, j'habite sur le boulevard Tch'ang-an du Nord. Je me promène, ce soir. A après-demain, donc.

Et M. Ts'ao s'en fut, non sans avoir donné à Siang-tse son adresse exacte et précisé qu'il possédait toujours son pousse personnel.

Siang-tse eut soudain l'impression d'avoir des ailes. Ses tourments des derniers jours étaient balayés d'un coup, comme une rue poussiéreuse après une averse. M. Ts'ao était un ancien patron, qui l'avait employé quelque temps avant son départ pour Shang-haï. Ils s'étaient toujours bien entendus. M. Ts'ao était un homme cultivé, de manières affables et, de plus, il n'avait pas de famille nombreuse : rien qu'une femme et un garçon.

Siang-tse fonça vers le garage. Il y avait de la lumière chez Tigresse. Perdant soudain courage, il s'arrêta, incapable de faire un pas de plus.

Un bon moment après, il se décida à entrer chez Tigresse, avec la ferme intention de lui faire part de son nouveau travail. Il lui réglerait la location des deux derniers jours et lui demanderait de lui remettre les économies qu'il avait confiées à son père. Elle comprendrait alors son intention de rompre.

Il alla d'abord ranger son pousse ; puis, s'approchant de la chambre éclairée et prenant son courage à deux mains, il appela :

— Mademoiselle Tigresse !

— Entre.

Vêtue de ses habits ordinaires, et pieds nus, elle était à moitié étendue sur son lit. Sans changer de position, elle dit :

— Alors, on y prend goût, hein ?

Le visage de Siang-tse devint aussi cramoisi qu'un de ces œufs rouges qu'on décorait à l'occasion des fêtes. Après un long silence, il dit d'un ton embarrassé :

— J'ai trouvé un bon boulot. Je commence après-demain, c'est le patron qui me fournira le pousse...

— Ingrat ! lança-t-elle.

Et, se redressant un peu, mi-souriante, mi-fâchée, elle poursuivit :

— Ici, tu as de quoi manger, de quoi t'habiller ; et tu veux t'en aller déverser ailleurs ta sueur puante ? Je n'ai pas l'intention de rester vieille fille toute ma vie, n'en déplaise au vieux ! S'il n'est pas gentil, eh bien, tant pis ! J'ai tout de même mes petites économies. On achètera deux ou trois pousses qu'on louera, on aura chaque jour un yuan au moins, ça vaut mieux que de courir à longueur de journée comme un forcené, non ? Suis-je donc si moche ? D'accord, je suis un peu plus vieille que toi, mais à peine. Et tu verras comment je te dorloterai !

— Mais j'aime mon métier, moi !

Siang-tse ne trouvait pas d'autre argument.

— T'as la tête dure, quand même ! Assieds-toi, je ne te mangerai pas.

Elle sourit, montrant ses dents de fauve.

Siang-tse s'assit, le sang lui cognait sous les tempes.

— Et mon argent ? demanda-t-il.

— Ton argent ? C'est le vieux qui l'a. Ne crains rien, il ne sera pas perdu. Mais ne le lui réclame pas maintenant ; tu le connais aussi bien que moi. Quand tu en auras assez pour acheter un pousse, il te le rendra, ton pognon, et je te jure qu'il n'y manquera pas un sou. Mais avant, tu peux toujours y aller ! Si t'essaies, il t'engueulera, à te faire chier dans ton froc ! Après tout, de quoi te plains-tu ? On te traite bien ici. Sacrée tête de bois, va ! Ne me donne pas envie de te taper dessus !

Siang-tse ne trouva rien à répondre. La tête basse, il fouilla longuement dans sa poche. Finalement, il sortit quelques billets, les posa sur la table et dit :

— Voici pour la location des deux derniers jours. Je rends le pousse ce soir. Demain je me repose.

En réalité, il n'avait aucune envie de se reposer. Mais c'était, lui semblait-il, plus élégant et plus net ainsi.

7

Le surlendemain, Siang-tse commença à travailler pour la famille Ts'ao.

Il avait un peu de remords envers Tigresse. Il se justifiait en pensant qu'elle était responsable de tout et que, d'ailleurs, il n'avait jamais songé à profiter de son argent. En fait d'argent, il avait plutôt des craintes pour le sien. Le réclamer tout de suite à Quatrième Seigneur ? Cela susciterait chez lui des soupçons. Mais continuer à entreposer son magot chez le vieux l'obligerait à des visites au garage ; ce qui rendrait inévitables les rencontres avec Tigresse. Ne plus voir du tout ni le père ni la fille ? Tigresse risquerait alors de dire du mal de lui devant son père, et c'en serait fini de son argent. Plus il y pensait, moins il était tranquille.

Il songea à raconter son histoire à M. Ts'ao. Mais son aventure avec Tigresse, il était bien difficile de la narrer à qui que ce fût. Il commençait à comprendre qu'une affaire de ce genre n'est pas simple à régler ; ça vous colle à la peau comme de la glu. Il ne lui suffisait donc pas de perdre son pousse, il fallait encore qu'il se mît une femme sur le dos ! Sa vie lui semblait définitivement ratée. Il aurait beau faire, il n'en sortirait pas. Il perdait sa belle assurance d'autrefois. Sa taille et sa force ne pesaient vraiment pas lourd dans la balance. Certes, sa vie lui appartenait encore ; mais elle était sans cesse ballottée par des vents contraires. A la fin, sans doute se résignerait-il à tout, probablement même à épouser Tigresse, non pas pour sa personne, mais pour les pousses qu'elle posséderait.

Aux yeux de Siang-tse, M. Ts'ao, lui, était un homme bien, le maître Confucius en personne. Il ne pouvait en effet imaginer le grand sage autrement que sous les traits de « M. Ts'ao » ; transporter dans son pousse une personne aussi simple, aimable et élégante, lui était un motif de joie et de fierté. Il se considérait d'ailleurs comme le seul tireur digne de « M. Ts'ao ». Dans la maison aussi, tout était calme et propre ; il s'y trouvait parfaitement à l'aise. Il se rappelait que, autrefois, à la campagne, il avait souvent vu des vieillards, assis sous la lune d'automne ou dans un rayon de soleil hivernal, tirer sur leur pipe en silence. Trop petit, il ne pouvait alors pas les imiter ; mais il aimait à les regarder en imaginant leur paisible volupté. Or, la maison des Ts'ao, bien que située au centre de la ville, offrait le calme de la campagne. Parfois, l'envie le prenait d'allumer une pipe, afin de réaliser ce lointain rêve d'enfance.

Malheureusement, le problème de Tigresse ainsi que le souci de ses économies ne le laissaient pas en paix. Son cœur ressemblait à une feuille de mûrier qu'un ver à soie enrobe de fils inextricables. Ses soucis le rendaient souvent distrait. Il lui arrivait de répondre de façon incohérente, même à M. Ts'ao, ce qui augmentait sa rogne contre lui-même.

Dans la maison, on se couchait tôt ; à neuf heures du soir, la journée était terminée. Seul dans la cour ou dans sa chambre, il ne cessait de tourner et de retourner ses problèmes dans son esprit. Parfois, l'idée lui venait de se marier immédiatement, pour enlever toute prétention à Tigresse. Mais avec quoi allait-il nourrir sa famille ? Chez les tireurs pauvres, les femmes trimaient à longueur de journée pour rapiécer le linge des autres, et les enfants ramassaient les morceaux de charbon brûlés ; en été, ils cherchaient sur les tas d'ordures les débris de pastèques pour en croquer un reste de chair ; en hiver, ils faisaient la queue à la soupe populaire. « Cette vie de chien, je n'en veux pas ! » se disait Siang-tse. D'autre part, s'il se mariait avec une autre, Tigresse ne lui pardonnerait pas, et il ne serait plus question de récupérer son argent.

Un soir, M. Ts'ao revint un peu plus tard que d'habitüde du quartier de l'est. Pour plus de sûreté, Siang-tse suivit la grande avenue qui passe devant la place T'ien-an-men.

Courant sur la chaussée lisse et déserte, dans la brise et la lumière douce des réverbères, il était de bonne humeur. Le rythme de ses pas se mêlait à celui du pousse. Il oublia un instant tous ses soucis. Il ouvrit sa veste et sentit aussitôt le vent frais lui frapper la poitrine. Il eut envie de courir, sans jamais plus s'arrêter. Même si la mort l'attendait au bout, elle serait douce. Il accéléra et, ayant dépassé un autre pousse, il fut bientôt au-delà de T'ien-an-men. On eût dit qu'il avait des ressorts aux pieds. Les roues tournaient si vite qu'on ne distinguait plus les rayons. M. Ts'ao, rafraîchi par la brise nocturne, s'était sans doute à moitié endormi ; sinon, il eût rappelé Siang-tse à l'ordre. Celui-ci, enivré par son propre rythme, poursuivait sa course folle. Il se réjouissait à la pensée que, après avoir transpiré de la tête aux pieds, il allait enfin pouvoir dormir à poings fermés.

Non loin de la rue Nan-tch'ang, le côté nord de la chaussée était parfaitement assombri par le feuillage des sophoras. Siang-tse s'apprêtait à ralentir, lorsqu'il heurta quelque chose de dur. Il tomba et le pousse culbuta sur lui. Un bruit sec : les bouts des brancards étaient cassés.

— Qu'est-ce que...

M. Ts'ao avait à peine eu le temps d'ouvrir la bouche qu'il se retrouva par terre. Siang-tse se releva rapidement. M. Ts'ao se redressa sans trop de peine sur son séant :

— Qu'est-ce qu'il y a ?

Il y avait que des pierres avaient été entassées là pour la réparation de la chaussée, sans être signalées par une lampe rouge.

— Vous vous êtes fait mal ? demanda Siang-tse.

— Non. Je vais rentrer à pied. Tu ramèneras le pousse, répondit calmement M. Ts'ao.

Il tâta les pierres, afin de s'assurer qu'il n'avait rien perdu dans la chute.

Siang-tse, de son côté, retrouva les morceaux cassés des brancards.

— C'est pas trop grave ; je peux encore tirer. Vous pouvez monter.

Tout en parlant, il dégageait le pousse du tas de pierres.

— Montez donc, monsieur ! insista-t-il.

M. Ts'ao ne voulait pas remonter dans le pousse. Mais la voix suppliante de Siang-tse le toucha ; il céda.

A la lumière des réverbères de la rue Nan-tch'ang, M. Ts'ao s'aperçut qu'il avait la main droite écorchée :

— Siang-tse, arrête un peu, dit-il.

Siang-tse se retourna. Son visage était couvert de sang. M. Ts'ao prit peur et s'écria :

— Vite ! Tu...

Il n'acheva pas, et Siang-tse, croyant que son maître lui ordonnait de courir plus vite, accéléra et revint, d'une traite, à la maison.

Une fois le pousse posé, Siang-tse vit que M. Ts'ao saignait à la main. Il voulut s'élancer pour aller chercher le nécessaire pharmaceutique que détenait Madame.

— Ne t'inquiète pas pour moi. Occupe-toi plutôt de toi-même.

Et M. Ts'ao se précipita à l'intérieur de la maison.

Siang-tse se regarda. Il commençait à ressentir de la douleur. Il était blessé aux bras et aux genoux. Sur son visage, ce qu'il avait pris pour de la sueur, c'était du sang. Il s'assit sur le perron et contempla d'un œil hagard

71

le pousse endommagé. Le coffre peint en noir et vernissé contrastait avec les brancards cassés, qui laissaient voir au bout le bois blanc ; on eût dit un bonhomme de papier joliment décoré, mais monté sur deux bâtons de bois sans grâce.

La voix sonore de mère Kao, la bonne, se fit entendre :

— Siang-tse, où es-tu donc passé ?

Il s'approcha. Ils étaient là tous les trois, à le regarder.

Comme pour effaroucher davantage sa maîtresse, mère Kao, tout en versant de l'eau froide dans une cuvette, grogna :

— Le voilà dans un bel état ! Je le savais bien. A courir comme il le fait, ça devait arriver un jour ! Voilà !

Puis, se tournant vers Siang-tse :

— Débarbouille-toi. Je te mettrai de la pommade, après.

— Monsieur, dit Siang-tse, la tête baissée, d'une voix sourde, mais ferme. Cherchez quelqu'un d'autre. Le salaire de ce mois, gardez-le pour réparer le pousse. Il n'y a que les brancards et la lampe gauche de cassés.

— Soigne-toi d'abord, répondit M. Ts'ao, en regardant sa main que sa femme pansait avec soin.

— Lave-toi, je te dis ! reprit mère Kao. Monsieur n'a encore rien dit.

Siang-tse ne bougea pas. Il remua seulement les lèvres :

— C'est pas la peine ; ça guérira tout seul. Quand on travaille au mois, on fait attention. On n'abîme pas le pousse et on évite de causer des ennuis au patron...

Il se vidait de ce qu'il avait sur le cœur ; il ne lui restait plus qu'à pleurer à chaudes larmes.

Abandonner le travail, renoncer à son salaire équivalait pour lui à un suicide. Cependant, plus importantes que sa vie même étaient ses responsabilités et sa dignité. Car il venait de faire du tort à « M. Ts'ao », qui était quelqu'un de bien. S'il avait fait le coup, par exemple, aux dames Yang, c'eût été tant pis pour elles ; elles ne l'avaient jamais traité en homme. Vis-à-vis de « M. Ts'ao », en revanche, il avait le souci de sa dignité, même au détriment de l'argent. Il ne pouvait que s'en prendre à lui-même. Et si son maître était mort du coup ? Siang-tse en venait à se demander s'il devait continuer ce métier qui engageait la sécurité, non pas seulement de sa personne, qui ne valait guère la peine d'être considérée, mais de personnes comme « M. Ts'ao ». Le métier de tireur représentait son unique idéal. Il se rendait compte qu'il n'avait jamais été un tireur de valeur. Il s'était tué au travail pour s'offrir un pousse ; et voilà qu'il avait touché le fond en abîmant le pousse d'un patron ! Si les autres tireurs l'apprenaient ? Non, décidément, il ne pouvait plus continuer ce métier ; il fallait décamper avant d'être congédié.

— Siang-tse, lave-toi d'abord, et ne nous parle pas de t'en aller, dit M. Ts'ao, dont la main était pansée. Ce n'était pas ta faute. On a omis de poser une lanterne rouge à côté du tas. Tant pis ! Allons, lave-toi, et mets-toi un peu de pommade.

— C'est vrai, monsieur. (Mère Kao trouvait de nouveau son mot à dire.) Siang-tse a la tête dure... une vraie pierre ! Pour sûr que c'est pas beau de ramener son patron dans cet état. Mais puisque le patron te dit que c'est pas ta faute... Ne reste pas là comme une bûche ! Regardez-le : robuste comme pas un, mais moins dégourdi qu'un gosse ! C'est énervant, à la fin. Madame, dites-lui un mot pour le tranquilliser.

Mère Kao avait l'art de réconcilier tout le monde en invitant chacun à y mettre du sien.

— Lave-toi, Siang-tse. Tout ce sang me fait peur, se contenta de dire Mme Ts'ao.

Siang-tse consentit à s'exécuter, pour ne plus incommoder Madame. Devant la porte du bureau, il se nettoya la figure dans une cuvette. Mère Kao, qui l'attendait à l'intérieur, appliqua une couche de pommade sur sa blessure.

— Et les bras et les genoux ?

— C'est pas la peine, s'obstina Siang-tse, en secouant la tête.

Lorsque M. et Mme Ts'ao furent partis se reposer, mère Kao suivit Siang-tse dans sa chambre. Elle posa le flacon de pommade sur la table et, debout près de la porte, elle dit :

— Tout à l'heure, tu te remettras toi-même un peu de pommade. A mon avis, tu n'as pas à t'en faire pour ton travail. Autrefois, du temps où mon vieux mari était encore en vie, je changeais souvent aussi de patron ; c'était surtout pour le contrarier. Parce qu'il n'osait jamais me défendre, quand on me maltraitait. Faut dire que je n'avais pas le caractère facile non plus. A la moindre chose qui allait de travers, je pliais bagage. Oui, je vends ma force, mais je ne suis pas une esclave. Les riches ont leur argent qui pue ; nous, les pauvres, on a notre dignité, pas vrai ? Maintenant, je suis plus accommodante. Depuis la mort du vieux, je suis plus détachée. Ça fait trois ans que je suis ici – mais oui, j'ai commencé le 9 septembre, il y a trois ans. On n'étouffe pas sous les pourboires, mais les patrons sont gentils. Naturellement, dire du bien d'eux n'ajoute rien au salaire. N'importe, il faut voir plus loin que le bout de son nez. Si on changeait tous les jours de patrons, en une année on perdrait la moitié de son temps à chercher du boulot. Quand on a un bon maître, même avec un peu moins d'extra, à la longue on finit par épargner quelques sous. Ton histoire d'aujourd'hui, puisque Monsieur passe l'éponge, faut plus y penser. C'est pas que je me pose en mère poule, mais tu es encore bien jeune. Tu as le sang chaud, seulement c'est pas avec ça qu'on se remplit la panse. Crois-moi, tout ce que j'en dis, c'est pour ton bien, et pas du tout pour les patrons. C'est bien de rester ici ensemble.

Puis, après un soupir, elle ajouta :

— Bon, à demain. Moi, je suis franche et je dis ce que je pense. Ne sois pas têtu.

8

M. Ts'ao fit réparer le pousse, sans rien retenir sur le salaire de Siang-tse. Celui-ci ne parla plus de partir, bien que, pendant plusieurs jours, il se sentît mal à l'aise. Les arguments de mère Kao avaient fini par le convaincre. Il ne prit pas les cachets que lui avait donnés Mme Ts'ao.

Peu à peu, il oubliait l'accident. L'espoir reprenait le dessus. Seul dans sa chambre, les yeux écarquillés, il se perdait dans ses comptes et envisageait la manière dont il allait acheter un pousse. Il n'était pas fort en calcul, mais il répétait souvent, comme une litanie : « Six fois six trente-six. » Il avait ainsi l'impression de calculer un chiffre important, bien que celui-ci n'eût rien à voir avec la somme qu'il possédait.

Il vouait une certaine admiration à mère Kao, la trouvant supérieure en raisonnement et en capacité à la plupart des hommes. Ses paroles lui fournissaient des sujets de réflexion sur lesquels il méditait pendant des heures. Ordinairement, il n'osait pas engager la conversation avec elle de sa propre initiative. Mais chaque fois qu'il la rencontrait devant la porte ou dans la cour et qu'elle avait le loisir de lui parler, il l'écoutait volontiers. D'ailleurs, il ne manquait jamais de lui sourire en passant, pour lui signifier qu'il appréciait ses discours. Flattée de cet hommage, elle lui accordait souvent quelques minutes, même lorsqu'elle était occupée.

Elle conseilla à Siang-tse de faire fructifier son argent et lui offrit son aide.

— Tu sais, dans ta poche, une pièce restera toujours une pièce. Si tu la prêtes, ça en fera pousser une autre. Faut pas la prêter à n'importe qui, bien sûr ; mais on a des yeux pour observer, non ? Prends, par exemple, un agent de police : s'il ne paie pas l'intérêt, on va chercher son supérieur, et alors il risque gros. S'il ose tricher, c'est pas compliqué, on va directement chez lui le jour de sa paie, et ça m'étonnerait qu'on ne récupère pas le tout. En un mot, comme en cent, on ne prête pas à n'importe qui – autant jeter un seau d'eau à la rivière, sinon. Mais crois-moi, c'est radical pour se faire un peu plus de sous.

Siang-tse n'avait pas besoin de répondre : son air admiratif en disait assez long. Lorsqu'il se retrouva seul, il se dit qu'il serait tout de même plus sûr de garder son argent dans sa poche. Ça n'augmenterait pas, mais ça ne risquait pas de disparaître. Il sortit avec soin de sa poche les pièces – en vrai argent ! – économisées ces trois derniers mois, et les caressa une à une, en évitant de faire du bruit. Elles étaient si brillantes, si lourdes et si dociles dans sa main, ces pièces, qu'il ne pouvait, sous aucun prétexte, s'en séparer, sauf pour acheter un nouveau pousse. A chacun ses méthodes.

Voyant que l'idée fixe de Siang-tse était l'achat d'un pousse, mère Kao lui prodigua d'autres conseils :

— Tu veux garder tes sous pour acheter un pousse ? T'as sans doute raison. Si j'étais tireur, moi, je ne tirerais que mon propre pousse. Alors là, on ne dépend de personne. Et avec ça, tu sais, je ne voudrais pas être préfet, même si on me l'offrait. Le métier est dur, pas à dire ; n'empêche que, si j'étais un homme, avec des biceps comme les tiens, j'aimerais mieux être tireur qu'agent de police, par exemple. Un flic, ça reste toujours debout dans la rue, ça ne gagne pas d'extra, ça n'est pas libre. Personne n'en veut plus, dès que c'est vieux. Oui, si tu veux acheter rapidement un pousse, je connais un truc : on fait la collecte. On demande à dix ou vingt personnes de donner chacune deux yuans, ce qui fait quarante yuans. On s'entraide à tour de rôle. Imagine un peu : quarante yuans ! Tu y ajoutes tes économies – ne va pas me dire que t'en as pas – et ça suffit pour t'acheter un pousse. Grâce à ce truc, tu ne paies pas d'intérêt et ça ne peut pas rater. Si tu fais ça, je donnerai ma part, promis juré. Qu'en dis-tu ?

« Mais où trouver les vingt personnes ? se disait Siang-tse. Et puis, si on fait une collecte, c'est qu'on est dans le besoin ; on ne pourra plus alors refuser son service aux autres, et il n'y aura plus de fin. D'ailleurs, la collecte, c'est passé de mode, vu qu'on est tous dans le pétrin jusqu'au cou. Si le destin le veut, je l'aurai, mon pousse ; sinon, je n'aurai qu'à aller me pendre. »

L'expression sceptique de Siang-tse donna envie à mère Kao de le mettre en boîte. Elle fut toutefois désarmée par son air naïf et sincère. Elle dit en souriant :

— Toi alors ! Avec ta façon de faire, c'est comme si on poursuivait un cochon dans une ruelle ; ça ne sait que foncer droit devant, mais c'est pas plus mal.

Siang-tse demeura silencieux. Quand il fut seul, il ne put s'empêcher de hocher la tête de satisfaction. Son entêtement et sa ténacité lui paraissaient admirables.

L'hiver approchait. Le soir, dans les ruelles, en même temps que les cris des marchands ambulants qui vendaient des marrons ou des cacahuètes grillés, s'élevait le chant plaintif des marchands d'ustensiles en terre cuite. Un jour, Siang-tse repéra, à l'éventaire d'un marchand, un pot en forme de calebasse. Comme c'était son premier client de la soirée, le marchand n'avait pas la monnaie. Siang-tse eut alors l'idée de choisir un petit pot vert qui, avec sa minuscule bouche tordue, lui sembla très joli.

— Pas la peine de me rendre la monnaie, je prends ça en plus, dit-il.

Après avoir posé le gros pot dans sa chambre, il se rendit dans la maison.

— Le petit seigneur n'est pas encore couché ? Je lui offre ce petit jouet.

Tout le monde était réuni pour regarder l'enfant prendre son bain. La vue du petit pot amusa l'enfant et provoqua l'hilarité générale. M. et Mme Ts'ao ne trouvaient peut-être pas très intelligent le choix du jouet, mais ils appréciaient la délicatesse de l'intention. Ils adressèrent un sourire à Siang-tse en guise de remerciement.

Siang-tse se dirigea vers la porte, l'air un peu guindé. Il était heureux. Il venait d'éprouver pour la première fois la joie d'offrir. Tous les visages souriants se tournaient vers lui, comme s'il avait été un personnage important. Il se retourna et sourit à son tour.

Une fois dans sa chambre, il sortit ses pièces et, une à une, les mit dans le grand pot tout neuf en se disant : « C'est plus sûr. Un jour, je le lancerai contre un mur, et les pièces d'argent seront plus nombreuses que les débris du pot. »

Il faisait de plus en plus froid. Siang-tse n'avait pas l'air de s'en apercevoir. Quand on vit dans l'espoir, on en est comme enveloppé d'une lumière chaude qui protège des rigueurs du temps. Le sol commençait à se couvrir d'une mince couche de glace. Les chemins de terre durcissaient et jaunissaient, en prenant un aspect sec et solide. A l'aube, les ornières que creusaient les roues des grosses voitures se frangeaient de givre blanc. Parfois, un vent léger dispersait les nuages lumineux, qui découvraient un ciel d'un bleu limpide.

Siang-tse commençait très tôt. L'air de la course gonflait ses manches et le vivifiait comme une bonne douche.

De temps à autre, une rafale de vent lui coupait le souffle. La tête baissée et les mâchoires serrées, il fonçait droit devant, pareil à un poisson qui remonte le courant ; plus le vent soufflait, plus il résistait ; on eût dit qu'il avait lancé un défi au vent. Lorsque, à bout de souffle, il ne pouvait vraiment plus respirer, il gardait un long moment la bouche fermée, en attendant de pouvoir aspirer un bon coup, à la manière d'un nageur. Après un grand rot, il continuait son chemin. Rien ne pouvait arrêter ce géant. Les muscles tendus, il ressemblait à un scarabée qui, attaqué par des fourmis, résiste de toute sa carapace. Lorsque, arrivé à destination, il posait enfin son pousse, il se cambrait, inspirait profondément et s'essuyait la bouche pour enlever le sable. Regardant le vent chargé de poussière qui balayait tout sur son passage, il hochait la tête, pour montrer sa satisfaction d'en être sorti vainqueur. Le vent ne lui était d'ailleurs pas toujours hostile. Parfois, il courait dans le sens où il soufflait ; il lui suffisait alors de bien tenir les brancards et de se laisser pousser par-derrière comme par un bon compagnon.

Dans les rues, on commençait à sentir l'atmosphère de la fin d'année. Les jours sans vent, en dépit du froid, les rues semblaient réchauffées par la diversité de couleurs des images populaires collées sur les portes, des lanternes en gaze fine, des bougies rouges, des fleurs artificielles de satin et de toutes sortes de babioles exposées dans les vitrines. Cela réjouissait le cœur des gens, tout en les inquiétant ; car chacun avait ses problèmes, malgré son désir de s'amuser pendant les jours de fête.

En voyant les étalages de cadeaux sur les trottoirs, Siang-tse se prenait à penser que, bientôt, M. et Mme Ts'ao le chargeraient de livrer des présents ; il aurait alors, chaque fois, quelques maos de pourboire. D'autre part, lorsqu'il reconduirait les amis venus souhaiter la bonne année à ses patrons, il ne manquerait pas de gagner aussi un peu d'extra. Ces petits à-côtés n'étaient point négligeables ; cela ferait bien en tout quelques yuans. Il fallait ajouter également les étrennes qui, selon l'habitude, étaient de l'ordre de deux yuans. Souvent, le soir, au repos, il contemplait bêtement son « ami » le pot de terre et murmurait à voix basse, d'un ton persuasif :

— Mange, mange donc, mon ami ! Quand tu auras le ventre bien rempli, je me sentirai mieux aussi.

La fête de fin d'année approchait à pas de géant. On en était déjà au huitième jour du douzième mois. Tout le monde faisait ses préparatifs pour la fête. Les uns dans la joie, les autres dans l'appréhension. Ces jours-là exigeaient une disposition d'esprit différente. Le temps semblait soudain doué de conscience et de sentiment ; il obligeait les hommes à réfléchir, à s'activer, à faire quelque chose d'inhabituel.

Siang-tse était de ceux qui débordaient de joie. Comme un enfant, il jouissait et s'apprêtait à jouir de tout : l'animation dans les rues, les cris des marchands ambulants... Il rêvait vaguement de repos, de pourboires, de bonne chère. Il songea à offrir quelque chose à Quatrième Seigneur – quelque chose qui ne coûterait pas trop cher – pour s'excuser de sa longue absence, et surtout pour récupérer les trente yuans déposés chez lui. Sortir un yuan, pour en ramener trente, ça en valait la peine. A cette pensée, il ne put s'empêcher de saisir sa tirelire et de l'agiter, pour bien se figurer le poids et le bruit que feraient trente pièces de plus là-dedans.

Un soir, il s'apprêtait à agiter à nouveau son gros pot, lorsque mère Kao lui cria :

— Siang-tse ! Il y a à la porte une demoiselle qui veut te voir. Je revenais du marché ; elle m'a demandé ce que tu devenais.

Siang-tse sortit de sa chambre. En le voyant, mère Kao ajouta :

— Une vraie pagode noire. Elle m'a fichu une de ces frousses !

9

Siang-tse n'eut pas le courage de franchir le seuil de la grande porte. D'ailleurs avant qu'il en ait eu le temps, il avait déjà vu, à la lumière des réverbères, et reconnu Tigresse. Elle s'était mis sur la figure de la poudre qui, dans cet éclairage, lui donnait un teint vert-de-gris ; on eût cru une feuille sèche couverte de givre.

Troublé, Siang-tse n'osa pas soutenir son regard. L'expression de Tigresse était difficile à saisir. Dans son regard, il pouvait deviner un vif désir de le revoir ; mais la bouche ouverte restait figée dans un ricanement ; les narines pincées exprimaient à la fois mépris et anxiété, et les sourcils bien dessinés et haussés avaient quelque chose de hautain et d'ensorcelant à la fois. A la vue de Siang-tse, elle remua les lèvres sans émettre aucun son ; les divers aspects de son visage avaient du mal à se fondre en un tout homogène. Elle avala sa salive, puis imitant un peu la façon seigneuriale de son père, d'un air mi-fâché, mi-souriant, elle dit, de la voix aiguë dont elle se servait pour discuter avec les tireurs :

— Eh bien, on s'en va et on ne revient plus ? C'est ce qu'on appelle : jeter de la viande à un chien pour le chasser.

Cette phrase dite, elle cessa aussitôt de rire, comme honteuse de sa vulgarité. Elle se mordit les lèvres.

— Ne crie pas comme ça, lui enjoignit Siang-tse, qui avait peur que mère Kao n'écoutât derrière la porte. Viens par ici.

Il l'entraîna vers la rue.

— Qu'est-ce que je crains ? Si j'ai la voix comme ça, je n'y peux rien !

Malgré ses protestations, elle le suivit pourtant. Ils traversèrent la chaussée. Siang-tse s'accroupit contre le mur rouge d'un parc – il n'avait pas perdu ses habitudes de campagnard.

— Qu'est-ce que tu viens faire ici ? demanda-t-il.

— Moi ? En voilà une question !

Elle posa la main gauche sur sa hanche, la taille légèrement cambrée. Puis après avoir baissé la tête pour le regarder, accroupi là, à ses pieds, elle dit, prise de pitié :

— Siang-tse, j'ai à te parler de choses importantes.

Ce « Siang-tse », prononcé avec douceur, apaisa tant soit peu l'irritation du tireur de pousse. Il leva les yeux, la dévisagea. Elle n'était pas plus jolie pour autant ; mais le son de la voix prononçant son nom résonnait encore dans sa tête, tendre et timide, et réveillait en lui un sentiment déjà éprouvé naguère.

Il se radoucit et demanda à voix basse :

— Quoi, alors ?

— Siang-tse... (Elle s'approcha de lui.) Ça y est, j'ai...

— Tu as quoi ?

— Ça !

Elle indiquait du doigt son ventre légèrement bombé et reprit :

— A toi de décider ce que tu dois faire.

Pour toute réponse, Siang-tse ne put que pousser un « Ah ! » qui était un aveu d'impuissance. Il avait compris. Mille pensées affluaient à son cerveau, de façon si précipitée et si désordonnée qu'il se sentait paralysé, comme un film arrêté au beau milieu de la projection.

Les rues étaient calmes ; la lune se cachait à moitié derrière les nuages. Par intermittence, un vent léger agitait les branches et les feuilles fanées. Au loin, on entendait des chats miauler. Siang-tse restait sourd à tous ces bruits et avait le cœur vide. Le menton dans les mains, il regardait le sol qui bougeait devant ses yeux troubles, il ne pensait à rien et ne voulait penser à rien. Il avait seulement l'impression qu'il se rétrécissait insensiblement, sans pouvoir toutefois s'enfoncer complètement dans le sol, comme il l'eût souhaité. Il claquait des dents.

— Ne reste pas accroupi là ! Lève-toi et dis quelque chose.

Elle aussi avait froid et signifia qu'elle voulait remuer un peu.

Il se leva comme un automate et la suivit vers le nord, sans rien trouver à dire. Son corps était engourdi, pareil à celui d'un dormeur réveillé par le froid.

— Tu n'as aucune idée ?

Elle lui jeta un regard, plein de tendresse.

Non, il n'avait pas d'idée.

— Le 27, c'est l'anniversaire du vieux, tu viendras ?

— Je serai occupé, moi, à cause des fêtes.

Siang-tse, dans sa panique, ne perdait pas de vue ses intérêts personnels.

— Je vois qu'avec toi, il faut employer la manière forte !

Elle haussa de nouveau la voix qui résonna d'autant plus que la rue était déserte.

— Si tu ne veux pas m'écouter, dis-le tout de suite. Pas la peine que je m'use la salive pour rien ! Mais gare, si tu me laisses tomber, je viendrai t'emmerder trois jours et trois nuits ! Tu auras beau aller où tu voudras, je te retrouverai !

— Tu as besoin de crier comme ça ? rétorque Siang-tse en reculant d'un pas.

— Si tu as la trouille, fallait pas profiter de moi. On a fait bombance ensemble et maintenant, tu me laisses essuyer la poêle toute seule, hein ? Tu aurais dû ouvrir plus grands tes yeux de con pour voir qui je suis.

— Ça va, tout doux ; je t'écoute.

Complètement assommé, Siang-tse, qui était pourtant transi, sentit soudain la chaleur l'envahir. Sa peau gelée

83

semblait craquer sous l'effet de ce chaud. Cela le déman-
geait de partout, surtout dans le crâne.

— J'ai une idée.

Tigresse s'arrêta et lui dit en le regardant dans le blanc
des yeux :

— Tu vois, même si tu charges un entremetteur d'arranger les choses, le vieux ne marchera pas. Il est le
patron, toi tu n'es qu'un tireur, c'est pas lui qui s'abais-
sera devant toi. Moi, je m'en fiche comme de ma première robe. Je t'aime bien, c'est l'essentiel. Les entre-
metteurs, il n'y a rien de tel pour tout flanquer par terre.
Le vieux croira que tu lorgnes ses pousses. Je me charge
de régler l'affaire. On le mettra devant le fait accompli.
Et puis, j'ai déjà ça dans le ventre, on est lié.
Naturellement, il faut prendre le vieux par la douceur. Il
perd la tête de plus en plus ; il risque, si on lui force la
main, de prendre une autre femme et de me foutre à la
porte. Tu sais, il est encore costaud malgré ses soixante-
dix ans. S'il se remarie, il est encore capable de faire
deux ou trois gosses à sa femme, crois-moi !

— Allons-nous-en, dit Siang-tse.

Il avait vu un agent venir rôder près d'eux à deux
reprises.

— Qu'est-ce qu'il y a de mal à rester là ?

Elle suivit le regard de Siang-tse et vit l'agent de
police.

— Pourquoi le crains-tu ? Tu n'es pas en train de tirer.
Il ne va pas te le mordre ! Bon. Voilà mon idée : le 27,
pour l'anniversaire du vieux, tu vas lui faire le *ko-t'eou*[1]
trois fois. Après la fête, tu vas encore lui souhaiter la
bonne année. Il faudra profiter de ces réjouissances pour
le faire boire. Quand il sera à moitié saoul, tu lui propo-
seras carrément d'être son filleul. Après, je lui ferai

---

1. *Ko-t'eou* : prosternation en signe de respect.

84

comprendre peu à peu que ça remue dans mon ventre. Il va m'interroger : je commencerai par faire la sourde oreille. Quand il s'échauffera, je dirai un nom, par exemple K'iao le Second ; tu sais, le caissier de notre voisin de l'est. Il vient de mourir ; il est enterré au-delà de la porte Tong-tche. Comment veux-tu que le vieux vérifie ? Il perdra la tête et c'est là que je lui soufflerai en douce un moyen d'en sortir. T'épouser, quoi ! Du filleul au gendre, il n'y a qu'un pas. Et tout le monde sera content. Qu'en dis-tu ?

Siang-tse ne répondit pas.

Ayant déversé ce qu'elle avait sur le cœur, Tigresse se mit en route vers le nord, la tête penchée, soit pour savourer ce qu'elle venait de dire, soit pour laisser à Siang-tse le temps de réfléchir.

A ce moment, le vent dispersa les nuages et dévoila la lune. Ils arrivèrent à l'extrémité nord de la rue. Le mur rouge de la Cité interdite – la ville impériale – se reflétait sur le canal gelé et légèrement brillant. A l'intérieur de la Cité interdite régnait un silence absolu : les toits aux angles richement décorés, les panneaux aux inscriptions vertes et or, la porte violette, les pavillons sur la colline King-chan semblaient retenir leur souffle pour écouter un chant insolite. Un vent, au bruissement plaintif, comme chargé de souvenirs anciens, circula à travers les palais aux tours et aux temples multiples. Tigresse marchait vers le pont du Dauphin d'or à l'ouest. Pas un piéton sur le pont. Un rayon de lune froide éclairait les étendues glacées des deux côtés du pont. Au loin, les silhouettes des pagodes et des pavillons se dressaient, sombres, au-dessus du lac ; seules les tuiles jaunes de leurs toits luisaient faiblement. Les arbres frissonnaient sous la lune dont la clarté devenait de plus en plus vague. La tour Blanche touchait les nuages ; sa blancheur rendait le paysage encore plus triste et désolé. Tout ce quartier de San-hai, endormi et comme écrasé par la splendeur du passé, symbolisait la solitude du Nord. Au sommet du pont, le froid qui se dégageait de la glace fit tressaillir Siang-tse. Il s'arrêta :

— Au revoir !

Et il fit demi-tour.

— Siang-tse, c'est entendu. Au 27 !

Elle regarda s'éloigner le dos large de Siang-tse. Après un dernier coup d'œil sur la tour Blanche, elle soupira et reprit son chemin vers l'ouest.

Siang-tse ne se retourna pas. Comme s'il avait été poursuivi par des démons, en quelques pas glissants, il atteignit la Citadelle ronde. Dans sa hâte, il faillit entrer dans le mur. Il s'appuya d'une main contre le mur et il avait envie de pleurer. Il entendit bientôt Tigresse l'interpeller :

— Siang-tse, Siang-tse, viens par ici !

Il retourna à pas lents vers le pont. Tigresse redescendait à sa rencontre, très raide, la bouche ouverte.

— Viens, que je te donne ça !

A peine avait-il fait quelques pas que Tigresse se trouvait à nouveau devant lui.

— Tiens, c'est ton argent. Trente et quelques yuans. J'ai arrondi. Prends-les. C'est pour te montrer que je pense à toi, que je t'aime bien et que je veille à tes intérêts. Ne sois pas ingrat. Garde-les bien. Si tu les perds, je n'y serai pour rien !

Muet de stupeur, Siang-tse tendit la main pour recevoir la liasse de billets.

— Au 27, sans faute, ajouta-t-elle en souriant. Dis-toi bien que c'est dans ton intérêt de venir.

Rentré à la maison, son premier soin fut de compter les billets. Il fit deux ou trois tentatives sans succès ; les billets collaient à ses mains moites. Après les avoir bien comptés, il les mit dans le pot. Assis au bord de son lit, il regarda bêtement sa tirelire et décida de ne penser à rien. Cette tirelire remplie d'argent mettrait fin à ses problèmes. Tout le reste était du rêve : le canal de la Cité interdite, la colline King-chan, la tour Blanche, le Grand Pont, Tigresse et son ventre... En dehors de ce rêve, il y avait une trentaine de yuans de plus dans sa tirelire ; ça, c'était réel.

Ayant assez contemplé sa tirelire, il la rangea. Il n'avait plus qu'une envie : dormir ! La nuit porte conseil.

Dans son lit, il n'arrivait pas à fermer l'œil. Les idées lui entraient et lui sortaient de la tête, comme des abeilles qui venaient une à une le piquer de leur dard.

En songeant aux paroles de Tigresse, il eut l'impression de tomber dans un piège et d'avoir bras et jambes pris dans un étau. Il ne parvenait pas à trouver la moindre faille à ses propos : ils formaient un véritable filet ; le plus petit poisson ne pouvait s'en échapper. Tous les événements se rassemblaient en un bloc compact qui l'écrasait de tout son poids. Il comprit enfin que le destin d'un tireur se résumait en un seul mot : déveine !

Oui, quand on est tireur, il ne faut rien faire d'autre, pas même toucher à une femme ; dès qu'on s'y risque, c'est la catastrophe ! Tout le monde s'acharnait contre lui, Quatrième Seigneur avec ses pousses, Tigresse avec son cul. Il ne lui restait probablement plus qu'à accepter son sort : se prosterner devant le vieux lion pour devenir son filleul, épouser la diablesse... Comment faire autrement ?

Il rejeta sa couverture, se redressa et décida d'aller boire un bon coup. Tout était pourri ici-bas, où était la justice ? Boire et dormir ! Le 27 ? Pour tout l'or du monde, il n'irait cogner son front contre le sol, ni le 27, ni le 28 ! Siang-tse n'était pas à vendre ! Siang-tse était capable de dire merde à tout le monde ! Ayant endossé sa veste, il saisit le bol qui lui servait à tout, à manger et à boire, et il fonça dehors pour chercher du vin.

Dehors, le vent, ayant soufflé plus fort, avait dispersé les nuages dans le ciel. La lune, toute petite, émettait une

lueur froide. Sorti de son lit tout chaud, Siang-tse fris-
sonna en aspirant l'air glacial. Il n'y avait plus de passants dans la rue. Des deux côtés de la chaussée,
quelques tireurs se tenaient près de leurs pousses, se protégeant les oreilles des deux mains et tapant du pied pour
se donner chaud. D'une traite, Siang-tse arriva devant la
petite échoppe de vin, du côté sud. Pour garder la chaleur, on avait déjà fixé les volets aux portes et aux
fenêtres, laissant seulement un étroit guichet par où
s'échangeaient le vin et la monnaie. Siang-tse demanda
quatre *liang* de *pai-kan* et une poignée de cacahuètes. Le
bol de vin à la main, il ne pouvait pas courir et se
contenta de marcher vite sans mouvoir le haut du corps,
à la manière des porteurs de chaise. De retour dans sa
chambre, il s'engouffra aussitôt sous sa couverture.
Claquant des dents, il n'osa plus en ressortir. Les effluves
qui montaient du *pai-kan* et même les cacahuètes ne lui
disaient plus grand-chose, maintenant. Le froid avait fait
retomber son ardeur et jusqu'à sa colère. Au bout d'un
moment, il glissa un regard hésitant vers le bol tentateur.
Décidément, il ne pouvait se résoudre à se dissiper en
s'adonnant à l'alcool qu'il s'était interdit jusqu'ici.
L'affaire de Tigresse était grave, c'était entendu. Elle lui
bouchait l'horizon ; mais il devait bien y avoir une
brèche qui lui permettrait de passer à travers. Il n'y a
aucune raison de se jeter dans un fossé avant qu'on ne
vous y précipite, se dit Siang-tse, et dans le pire des cas,
j'aimerais encore voir comment on s'y prendra pour
m'enfoncer. Il éteignit la lampe, enfouit sa tête sous la
couverture et tenta de dormir. Le sommeil ne vint pas.
Rouvrant les yeux, il vit le papier qui recouvrait la
fenêtre prendre un ton verdâtre sous l'effet de la lune,
comme si le jour allait poindre. Du bout du nez, il sentit
le froid de l'air, imprégné à présent de l'odeur de l'alcool. D'un sursaut, il se mit sur son séant, saisit le bol et
en avala avidement une gorgée.

10

Comment trouver une solution pour parer au plus urgent ? Siang-tse sent bien que son esprit lourd et lent manque d'astuce. Quant à faire le bilan de toute sa vie, cela dépasse complètement ses capacités ! Il ne peut que tourner et retourner dans sa tête ce souci qui le ronge. Tout comme une mante religieuse qui, ayant perdu une patte, n'en continue pas moins de se traîner sur celles qui lui restent, l'homme qui a subi une blessure doit nécessairement prendre sur lui pour tenter de s'en tirer. Désemparé, la volonté à plat, notre héros, lui, ne songe qu'à ramper péniblement et à contourner les obstacles un à un, sans plus aucune envie de rebondir.

Mais il y a cette date fatidique du 27. Une dizaine de jours le sépare d'elle. Comment détacher d'elle sa pensée ? Il aimerait croire qu'une fois cette date passée, les choses s'arrangeront comme par enchantement, tout en sachant que c'est un leurre. Il lui arrive de pousser un peu plus loin sa réflexion et de se demander ce qui l'empêcherait, avec ses dizaines de yuans d'économie en poche, de filer carrément ailleurs, par exemple à Tientsin. Où, par un coup de chance, il pourrait peut-être quitter ce sale métier de tireur et faire autre chose. Ce serait bien le diable si Tigresse arrivait à le poursuivre jusque-là. Car dans l'esprit de Siang-tse, un endroit qu'on peut seulement atteindre par le train est forcément loin, donc forcément hors de portée d'une fille comme Tigresse. Dans l'abstrait, le plan lui paraît parfait ; mais sa raison aussi bien que sa conscience lui disent que ce ne peut être là qu'une solution extrême. Tant qu'il est à Pékin, il reste à

Pékin ! Dans cette perspective, sa pensée bute à nouveau sur la date du 27. Celle-ci est proche, menaçante, mais du moins elle a le mérite d'être concrète. Et pourquoi exclure complètement que par une astuce quelconque il réussisse à traverser l'épreuve sans trop de dégâts ? Contourner les obstacles un à un, voilà une tactique plus à sa portée !

Pour faire face à l'obstacle immédiat, deux idées se présentent à lui : ignorer l'injonction de Tigresse d'aller à la fête de l'anniversaire, ou alors faire ce qu'elle demande. Deux solutions apparemment différentes mais qui aboutiront, il le sait, au même résultat, celui de ne pouvoir échapper définitivement aux griffes tenaces de la fille. Cette situation lui rappelle celle qu'il avait connue lorsqu'au début de sa carrière de tireur, il aimait, à l'instar des autres tireurs, entrer dans de petits *hu-t'ung*, croyant y trouver un raccourci. Il s'engageait de fait dans des *hu-t'ung* circulaires qui, au bout d'un moment, le ramenaient au point de départ.

Au fond de l'impasse, il essaie d'orienter sa réflexion vers le côté « positif ». Pourquoi, après tout, ne pas la « prendre » ? A cette seule idée, il ne peut réprimer une sensation de dégoût. La figure ingrate de cette femelle a de quoi vous donner le haut-le-cœur ; et sa conduite alors ! Lui, Siang-tse, si correct, si soucieux d'être quelqu'un de bien, épouser une salope pareille, il n'aurait même plus la face de retrouver ses parents après la mort ! Qui sait d'ailleurs si l'enfant est bien de lui ? Quant à savoir si elle réussira à rapporter quelques pousses comme dot de mariage, rien n'est moins sûr. Liu le Quatrième Seigneur, c'est connu, est un personnage plus que redoutable ! Et puis, à supposer que tout se passe bien, sera-t-il vraiment de taille, après le mariage, à lutter contre Tigresse ? N'est-il pas vrai qu'il lui suffit à elle de lever le petit doigt pour qu'il perde tous ses moyens ? Non, décidément, ce n'est pas quelqu'un avec qui on

peut fonder un foyer, à moins d'être le dernier des reje-
tons, ce qui n'est pas son cas, loin de là !

Ne pouvant rien contre elle, il se retourne contre lui-
même : il a envie de se donner quelques gifles retentis-
santes. Mais est-ce bien sa faute à lui ? Il a été victime
d'un traquenard, voilà tout ! Elle a tendu un piège, et lui,
honnête et bonasse comme il est, a sauté dedans à pieds
joints !

Il souffre alors de n'avoir personne à qui se confier.
Privé de parents et de frères, il n'a pas non plus d'amis.
D'ordinaire, il n'est pas peu fier d'être un homme ne
dépendant, sur cette terre, que de lui-même. A présent, il
prend conscience que personne ne peut vraiment se
débrouiller seul. Et c'est presque avec tendresse qu'il
commence à penser aux autres tireurs. Ne sont-ils pas
tous plus ou moins dignes d'affection ? S'il avait su s'y
faire quelques amis, ceux-ci sauraient sûrement le
conseiller, le secourir. Et alors, même plusieurs
« Tigresses » ne lui feraient plus peur ! Il ressent soudain
une terreur jamais éprouvée auparavant, celle qu'un
homme sans compagnon peut être écrasé à tout moment
par n'importe qui.

Cette terreur commence à le faire douter de lui-même
et de tout ce qu'il fait. Une image familière et tangible
surgit en son esprit. Les soirs d'hiver, il lui arrive souvent
d'attendre dehors son maître lorsque celui-ci est à un
dîner ou au théâtre. Il a l'habitude de serrer sur sa poitrine la boîte de fer contenant l'eau qui alimente la lampe
à pierre électrique, car laissée dehors, l'eau gèlerait dans
la boîte. Son corps en nage, tout chaud encore de la
course, ne manque jamais de tressaillir au contact de la
boîte glacée ; et il lui faut un certain temps pour sentir
enfin la boîte tiédir. Cette sensation si pénible ne le
trouble pas d'habitude outre mesure. Il en tire même de
la fierté, car être équipé d'une lampe à pierre électrique
est un privilège dont ne jouissent pas tous les pousses ! Il

se demande maintenant si ce genre de zèle ou de sacrifice en vaut bien la chandelle. Souffrir dans sa chair pour
un salaire de misère ! Sa poitrine robuste lui paraît soudain aussi creuse, aussi dérisoire que la boîte glacée. Etre
un bon tireur, jusqu'ici, était son idéal ; il compte bien là-
dessus pour vivre et fonder un foyer. Il en voit d'un coup
toute la vanité. Ce moins que rien qu'il est, comment ne
serait-il pas devenu un jouet entre les mains de Tigresse ?

Le troisième jour après la visite de Tigresse, vers le
soir, Siang-tse était de service : M. Ts'ao allait au cinéma
en compagnie de quelques amis. En attendant son maître,
et serrant comme d'habitude la boîte de fer glacée contre
lui, il se réfugia dans une petite maison de thé du coin.
Car il faisait un froid de canard ce soir-là. La maison de
thé, toutes portes et persiennes fermées, était emplie
d'odeurs de charbon, de sueur et de mauvais tabac.
Même calfeutrées ainsi, les fenêtres étaient couvertes de
givre à l'intérieur. La plupart des clients étaient des
tireurs qui se louaient au mois. Les uns, la tête appuyée
contre le mur, profitant un instant de ce semblant de chaleur, piquaient un somme. D'autres tenaient à la main un
bol d'alcool *pai-kan*. Ils esquissaient à la ronde un geste
d'invite, puis se mettaient à siroter lentement le précieux
breuvage. Après chaque gorgée, ils pinçaient un peu les
lèvres et laissaient échapper quelques pets. D'autres
encore mordaient avidement dans leur crêpe roulée qui
formait une grosse boule protubérante dans leur gorge. Il
y en avait aussi qui restaient là, l'air sombre, sans boire
ni manger, à égrener leurs plaintes, racontant à qui voulait les entendre comment ils avaient couru sans répit
depuis l'aube, combien de fois ils avaient été trempés
jusqu'aux os par des averses... Les autres qui, jusque-là,
bavardaient entre eux, tout d'un coup se taisaient. Car
chacun, pensant à sa propre dure journée, éprouvait aussi
l'envie de se confier. L'un d'eux, occupé à manger une

crêpe, s'empressa de renchérir, la bouche pleine et les veines saillant sur son front tant il avait peine à articuler : « Ne va pas croire que nous autres, les tireurs au mois, on soit mieux loti, je ne me suis rien mis dans le coco depuis ce midi ! » Après un hoquet, il enchaîna : « Et ça n'arrête pas. De la porte de Devant jusqu'à la porte P'ing-tse, tu te rends compte ? Et aller-retour trois fois, s'il vous plaît ! » Nouveau hoquet. « Avec ce temps de chien, j'ai le cul tout gercé, même que ça pète tout le temps du gaz froid. » Il jeta un coup d'œil rapide sur les autres tireurs, hocha la tête et retourna à sa crêpe.

La dernière phrase du mangeur de crêpe ramena la conversation sur le temps qu'il faisait et, par là, sur les souffrances occasionnées à chacun. Siang-tse, pendant tout ce temps, n'avait pas dit un mot. Mais il écoutait attentivement les autres parler. Leurs propos avaient beau varier quant au ton, à l'accent et au contenu, ils finissaient tous par maudire l'injustice du sort. Ces paroles, il les buvait littéralement, tel un sol assoiffé qui résorbe en un clin d'œil les gouttes d'une pluie longtemps attendue. Taciturne et solitaire qu'il était, il eût été bien en peine de dire clairement ce qu'il avait sur le cœur ; il ne pouvait ruminer l'amertume de l'existence qu'à travers les mots des autres. Tout le monde menait la vie dure, et lui n'y faisait pas exception ; à la pensée de ses propres misères, il se sentait en communion avec les autres. Quand ils racontaient quelque chose de triste, il plissait lui aussi le front ; quand ils plaisantaient, il esquissait un sourire, respirant ainsi du même souffle qu'eux. N'étaient-ils pas tous dans le même pétrin ? D'ordinaire, il fuyait ces conversations, considérant que ce n'étaient là que parlotes, commérages et perte de temps. Mais voilà que ce soir-là, pour la première fois, il trouvait en chacun un porte-parole !

Le brouhaha des conversations atteignait son comble lorsque la porte s'ouvrit soudain, laissant entrer une bouffée d'air glacial. Tout le monde jeta un œil mécontent vers l'entrée : qui était donc cet intrus qui, non content d'ouvrir grand la porte, semblait faire exprès de traîner pour entrer et la refermer. Le serveur, sur un ton mi-agacé, mi-enjoué, lui cria : « Plus vite, mon petit pépé ! Tu ne vois pas que tu fais perdre toute la chaleur ! »

L'homme finit par entrer. C'était un tireur lui aussi : la cinquantaine passée, vêtu d'une méchante veste ouatée d'une longueur indécise, dont le tissu déchiré aux revers et aux coudes laissait échapper des lambeaux de coton. Le visage qui, de toute évidence, n'avait pas été débarbouillé depuis plusieurs jours, n'avait plus couleur de chair : seules les deux oreilles, rougies par le froid, semblaient une paire de fruits trop mûrs prêts à tomber. Un petit bonnet troué cachait mal de pâles cheveux hirsutes, tandis que des fils de glace lui pendaient aux sourcils et à la maigre barbiche. A peine entré, il se laissa tomber sur un banc en prononçant dans un souffle : « Du thé chaud... »

Cette maison de thé n'était, en règle générale, fréquentée que par les « privilégiés » qu'étaient les tireurs au mois, et la présence d'un si vieux tireur paraissait d'autant plus insolite.

Tous le regardaient sans dire mot, sentant confusément que, dans cet être vieilli avant terme se cachait quelque chose de plus tragique encore que le sort dont ils se plaignaient tout à l'heure. En d'autres circonstances, un nouveau venu n'aurait pas manqué d'attirer à ses dépens quelques quolibets de la part de jeunes tireurs peu avisés, mais ce soir-là, pas un n'avait le cœur à parler.

Le thé n'était pas encore servi que la tête du vieux se mit à baisser, baisser, jusqu'à ce que tout le corps s'affaissât du banc sur le sol.

« Oh ! la la ! Qu'est-ce qu'il y a ? » D'un bond, tout le monde fut debout, prêt à porter secours.

« Que personne ne bouge ! » ordonna le patron de l'échoppe, qui avait l'expérience. Il s'approcha seul du tireur évanoui, défit le col de sa veste, le souleva et lui cala le dos contre une chaise en lui soutenant les épaules. « De l'eau sucrée, vite ! » Puis collant une oreille contre la poitrine du vieillard : « Au moins, ce ne sont pas les poumons », murmura-t-il comme pour lui-même.

Personne n'avait l'idée de bouger, ni même de se rasseoir. Tous les regards se portaient, à travers l'épaisse fumée, en direction de la porte, et tous semblaient vouloir dire : « Voilà comment on finira tous. Quand on aura les cheveux blancs, c'est comme ça qu'on crèvera, comme des chiens ! »

A peine le bol d'eau sucrée avait-il touché ses lèvres que le vieux tireur émit quelques gémissements. Les yeux encore fermés, il leva sa main droite – une main noire et luisante, comme recouverte de laque – qu'il se passa sur la bouche.

« Bois un peu », lui dit le patron à l'oreille.

« Ah... » Le vieillard ouvrit les yeux. Se voyant assis par terre, il fit mine de se lever.

« Doucement, bois donc un peu d'abord », répéta le patron en le relâchant.

A ce moment-là, tout le monde s'approcha.

Le vieux tireur, après avoir jeté un regard autour de lui, saisit le bol des deux mains et se mit à siroter l'eau sucrée à petites gorgées, entrecoupées de soupirs.

Le bol vidé, il regarda de nouveau ceux qui l'entouraient. « Merci, merci. Je vous ai causé bien du dérangement... », dit-il d'une voix douce et chaleureuse, qui contrastait avec son aspect hirsute. Il tenta une fois encore de se lever. Aussitôt trois ou quatre hommes se précipitèrent pour l'aider.

Il eut un léger sourire et, toujours de sa voix douce : « Ne vous inquiétez pas, ça ira. J'étais gelé, j'avais trop faim : j'ai tourné de l'œil, ce n'est rien ! » Malgré l'épaisse boue qui le recouvrait, son visage, illuminé d'un sourire de bonté, semblait alors resplendir.

Tous en furent émus. Un tireur d'âge moyen, qui tenait à la main le bol de vin qu'il venait de vider, s'avança, les yeux rougis par l'alcool et voilés de larmes, en réclamant : « Encore deux *liang* ! » Quoique légèrement ivre, il s'efforça de poser correctement le bol devant le vieux tireur, qui était allé s'asseoir sur une chaise contre le mur. « Bois, c'est ma tournée, dit-il. J'ai moi-même dépassé la quarantaine. Je ne te cacherai pas que nous autres, on a beau être au mois, on vit quand même au jour le jour. Qui sait jusqu'à quand les jambes tiendront le coup ? Dans deux ou trois ans, je serai comme toi, pour sûr. Tu frôles bien la soixantaine, toi ? »

« Même pas, cinquante-cinq. » Le vieux tireur but une gorgée de vin. « Par ce froid, pas de clients. J'ai rien mangé depuis ce matin. Les quelques pièces qui me restaient, je les ai dépensées pour un peu de vin, ça fait toujours chaud au ventre. Mais tout à l'heure, j'étais vraiment à bout. Je suis entré ici pour être au chaud un instant, mais avec mon ventre vide, j'ai tourné de l'œil. Ce n'est rien, je vous assure. Merci à tous, je vous ai causé bien du dérangement... »

A ce moment, les cheveux du vieillard, secs comme de la paille, sa figure encroûtée de boue, ses mains noires comme deux morceaux de charbon, son bonnet et sa veste déchirés se trouvaient comme transfigurés d'un rai de lumière. On eût dit la représentation de quelque divinité dans un temple délabré qui, même défigurée, conserve sa grave majesté. Les autres tireurs ne le quittaient pas des yeux, tant ils semblaient craindre qu'il s'en allât. Pendant tout ce temps, Siang-tse était resté planté là sans dire un mot. Mais en entendant le vieux se plaindre de son ventre vide, il bondit au-dehors et revint tout aussitôt, tenant à la main dix *pao-tse* [1] fourrés à la viande de mouton, enveloppés dans une feuille de chou. Il alla droit les déposer devant le vieux tireur et lui dit simplement : « Mange ! » Puis il se rassit, la tête basse, comme abattu de fatigue.

Le vieillard remercia d'un signe de tête, ne sachant plus s'il devait rire ou pleurer. « Comme c'est bon d'être entre frères ! Les clients, eux, n'ont pas de cœur. On peut se crever pour eux, c'est à peine s'ils vous donneraient un sou de plus ! » dit-il en se levant et en se dirigeant vers la porte.

« Mais mange d'abord ! » s'écrièrent les autres d'une seule voix.

« Je vais chercher Petit-Cheval. C'est mon petit-fils. Il garde le pousse dehors. »

« Ne bouge pas, j'y vais, dit le tireur d'âge moyen. Ne t'inquiète pas, on ne te volera pas ton pousse ici, il y a un poste de police juste en face. » Il entrebâilla la porte et cria : « Petit-Cheval ! Petit-Cheval ! Ton grand-père t'appelle. Laisse là le pousse et viens ! »

Le vieux, qui s'était contenté de palper les brioches sans les manger, en prit une au moment où Petit-Cheval entrait et la lui tendit : « Tiens, mon petit, voilà pour toi ! »

Petit-Cheval ne devait guère avoir plus de douze ou treize ans. Son visage trahissait sa maigreur, malgré la rondeur que conféraient au reste du corps ses vêtements matelassés. Il avait le nez rougi par le froid et agrémenté de deux fils de morve, et une toque déchirée lui recouvrait les oreilles. Resté debout à côté de son grand-père, il prit la brioche de la main droite et tendit instinctivement la gauche pour en saisir une autre avant d'y mordre à belles dents.

---

1. *Pao-tse* : petite brioche.

« Doucement ! » Le vieux posa une main sur la tête de son petit-fils, tout en entamant lentement une brioche. « J'en mangerai deux, le reste pour toi. Après, on va rentrer, c'est fini pour aujourd'hui. Demain, s'il fait moins froid, on tâchera de commencer plus tôt. Pas vrai, Petit-Cheval ? »

Ce dernier, tout à ses brioches, approuva de la tête en reniflant. « Prends-en trois, je mangerai le reste, dit-il. Tout à l'heure, je te ramènerai en pousse jusqu'à la maison. »

« Pas la peine, répondit le vieux avec un sourire à la ronde. On marchera tous les deux, il fait trop froid pour rester assis. »

Puis il finit de manger ses brioches et de boire son alcool. En attendant que son petit-fils eût terminé, il sortit un vieux chiffon pour s'essuyer la bouche et, s'adressant au cercle des tireurs : « Mon fils est parti à l'armée ; il n'est plus jamais revenu. Ma bru... »

« Ne parle pas de ça ! » Les joues rouges comme des cerises et sans cesser de mâcher, Petit-Cheval tenta d'interrompre son grand-père.

« Qu'est-ce que ça peut faire ? Ici, on est entre nous. » Puis baissant la voix : « Le petit a sa fierté. Ma bru est partie, elle aussi. Il ne reste que nous deux, à vivre de ce pousse. Il est bien mal en point, mais il est à nous. Au moins, on n'a pas à se faire du mauvais sang tous les jours pour la location. Et on vivote comme ça, tous les deux. Que voulez-vous, on n'y peut rien ! »

A peine avait-il fini ses brioches que Petit-Cheval tirait son grand-père par la manche : « Dis, il faut qu'on fasse encore une course, sinon avec quoi on va payer le charbon demain matin ? C'est ta faute : tout à l'heure, on nous proposait vingt sous pour aller à la porte de Derrière, moi j'y serais bien allé, c'est toi qu'as pas voulu. Mais qu'est-ce qu'on fera, demain matin, sans charbon, je te le demande ? »

« Ne t'en fais pas, j'irai en prendre cinq livres à crédit. »

« Et on y ajoutera des fagots ? »

« C'est ça, mon petit. Finis de manger, il est temps qu'on y aille. » Il se leva et salua à la ronde. « Merci à tous, mes frères ! » Puis il saisit la main de Petit-Cheval qui se fourra en toute hâte sa dernière brioche dans la bouche.

Certains tireurs restèrent assis. D'autres les suivirent dehors, Siang-tse en tête. Il voulait jeter un coup d'œil sur le pousse.

Un pousse en bien piteux état : le vernis de la planche était sillonné de craquelures, la peinture des deux brancards usée jusqu'à laisser voir le bois, les montants de la capote rafistolés avec de la ficelle ; une lampe de fortune faisait un bruit de ferraille...

Petit-Cheval tira de son bonnet une allumette qu'il frotta contre son talon. Protégeant la flamme de ses petites mains noircies, il réussit à allumer la lampe. Le grand-père se cracha dans les paumes et empoigna les brancards. « A demain, mes frères ! » lança-t-il une dernière fois.

Siang-tse resta planté devant la porte à les regarder s'éloigner. Il entendait la voix du vieux, tantôt haute, tantôt basse. Il voyait l'éclairage de la route alterner avec leurs ombres, de plus en plus diffuses. Et il sentit son cœur se serrer comme jamais auparavant. Il avait l'impression de voir en Petit-Cheval son propre passé, et dans le vieux son avenir. Chose étrange : lui qui n'avait jamais dépensé un sou à la légère, il était à présent tout heureux d'avoir acheté d'un coup dix brioches à ces deux êtres. Ce n'est qu'après qu'ils eurent disparu qu'il se décida à rentrer. A l'intérieur, les conversations et les rires avaient repris bon train. Siang-tse n'avait plus le cœur à s'y mêler. Il paya et ressortit. Il amena son pousse à l'entrée du cinéma et s'y posta pour attendre M. Ts'ao.

Le froid était intense. Dans l'air flottait une nappe de sable et de poussière, au-dessus de laquelle galopait le vent. A part quelques grosses étoiles qui tremblotaient tout là-haut, le reste du ciel paraissait irréel. Au ras du sol, malgré l'absence de vent, se dégageait un souffle glacé ; déjà les roues du pousse se fissuraient sous l'effet du froid. La terre était blanche et dure comme de la glace. Au bout d'un moment, Siang-tse fut transi mais il n'avait pas envie de retourner à la maison de thé. Il préférait rester seul à méditer en paix. Sa rencontre avec le vieux tireur et son petit-fils avait brisé son plus bel espoir. Du premier jour où il était devenu tireur, il s'était juré de s'acheter son propre pousse et c'était encore dans ce but qu'il s'échinait chaque jour. Posséder son propre pousse, croyait-il, c'était tout posséder. Or, il n'y avait qu'à voir ce vieillard qui, pourtant, était propriétaire de son pousse !

Et s'il ne voulait pas de Tigresse, n'était-ce pas justement parce qu'il avait son plan ? Acheter un pousse pour pouvoir faire des économies et, enfin, fonder un foyer comme il faut. Mais il n'y avait qu'à voir Petit-Cheval ! A supposer qu'il eût un fils, ne finirait-il pas comme lui ?

Dans ce cas, à quoi bon continuer à résister aux exigences de Tigresse, puisque de toute manière il n'avait aucune chance de s'en sortir ? Et puis, pourquoi pas elle ? Après tout, elle lui rapporterait peut-être quelques pousses qui lui procureraient au moins quelque temps de belle vie. Quand il n'était plus rien lui-même, il aurait eu tort de cracher sur les autres. Tigresse, c'était Tigresse, voilà tout !

La séance de cinéma se terminait. Siang-tse s'empressa d'installer la petite boîte en fer et d'allumer la lampe. Il enleva jusqu'à sa veste ouatée, ne gardant sur lui qu'un maillot. Il voulait courir à perdre haleine, tout oublier, et peu lui importerait s'il faisait une chute mortelle !

11

A la pensée du vieux tireur et de son petit-fils, Siang-tse eut envie de tout lâcher, de ne plus se soucier de rien. Une chose lui sautait aux yeux : la vie du pauvre ressemble fort à un noyau de jujube, avec ses deux bouts pointus et son milieu bombé. Les deux bouts pointus, c'est son enfance et sa vieillesse, démunies de tout, risquant à tout instant d'être écrasées, mises en miettes, tandis que le milieu bombé évoque sa jeunesse où la force physique lui permet de profiter quelque peu de la vie. Siang-tse ne s'y reconnaissait-il pas ? N'était-il pas jeune encore ? Pourquoi donc se maltraiter, se priver de tout jour après jour, à longueur d'année ? Pourquoi ne pas chercher le plaisir immédiat en se foutant du reste ?

Involontairement, son regard s'arrêta sur la tirelire posée sur la table. Elle lui rappela qu'il ne lui manquait plus que quelques dizaines de yuans pour s'acheter un pousse. Ah ! c'était trop bête de gaspiller ses économies, fruit de tant d'efforts et de privations ! Non, il fallait rester dans le droit chemin, il le fallait. Et Tigresse alors ? Et le 27 ? Accablé de soucis, il finit par serrer le pot entre ses bras en se répétant : « L'argent est à moi, personne ne peut me le prendre. Avec ça, je ne crains rien. Si on me fait trop de misères, je déguerpirai. Oui, on est libre quand on a de l'argent ! »

Le 23, jour des sacrifices aux dieux du Foyer, dans l'après-midi, le vent d'est apporta de gros nuages sombres. Il faisait plus doux. Vers le soir, le vent diminua ; de petits flocons de neige se mirent à tomber. Les marchands de *tang-kua* – sucres d'orge en forme de petits melons – étaient aux cent coups. Avec ce temps doux et cette neige, le sucre fondait et collait partout. Les flocons se transformaient en petits grains qui crépitaient et couvraient le sol d'une nappe blanche. A sept heures, dans les boutiques et les maisons, on commença à accomplir les rites du sacrifice. Dans la tempête de neige, le feu des encens et le claquement des bombes en papier créaient une ambiance à la fois animée et sinistre. Les gens dans la rue manifestèrent soudain de l'inquiétude : piétons, cyclistes, automobilistes, tous avaient hâte de regagner leur maison pour le sacrifice. Mais le sol glissant ne permettait pas d'aller vite. Les marchands voulaient liquider au plus tôt leurs articles de fête ; ils criaient à qui mieux mieux et ne faisaient qu'agacer les passants.

Quant à Siang-tse, il était d'autant plus énervé que, depuis le quartier de l'ouest d'où il ramenait M. Ts'ao, il était suivi par un individu à bicyclette. Sur le boulevard Tch'ang-an de l'Ouest qui était plus calme, la présence de l'autre se faisait sentir davantage. Il pouvait entendre le bruit feutré de la bicyclette sur la neige. Les tireurs détestent en général les cyclistes. Bien sûr, les voitures sont aussi gênantes. Mais elles font du bruit et il est facile de se garer à leur approche. Les bicyclettes, elles, se faufilent partout : elles tournent, oscillent et vous donnent le vertige. De plus, il n'est pas bon de les heurter. Les agents rejettent toujours la faute sur les tireurs qui, à leurs yeux, sont inférieurs aux cyclistes, donc plus faciles à mater.

A plusieurs reprises, Siang-tse fut tenté de s'arrêter net pour faire tomber l'autre, mais il n'osa pas. Car un tireur, quand il s'arrête, doit crier « halte ! ». A la porte Nan-hai, le boulevard s'élargit. Le cycliste le serrait toujours de près. Exaspéré, Siang-tse arrêta le pousse et fit mine de secouer la neige de ses épaules. Le cycliste les dépassa, non sans retourner la tête pour les dévisager.

Siang-tse s'attarda encore un instant, jusqu'à ce que le cycliste se fût éloigné ; puis il reprit les brancards en criant : « Merde ! »

Le pousse de M. Ts'ao n'avait pas de capote ouatée. La simple capote de toile n'était relevée qu'en cas d'averse. M. Ts'ao, par souci d'humanité, voulait ainsi épargner à son tireur l'effort supplémentaire de lutter contre la résistance de l'air dans la capote. Ce soir-là, il l'avait laissée pliée, car les flocons ne tombaient pas dru. Par ailleurs, M. Ts'ao voulait admirer le spectacle qu'offrait la vieille cité sous sa parure neigeuse. Il avait aussi remarqué l'invididu à bicyclette. Il dit à voix basse à Siang-tse :

— S'il continue à nous suivre, ne t'arrête pas devant la maison. Va jusque chez M. Tso de la porte de Houang-hua. Ne t'inquiète pas !

Siang-tse n'était pourtant pas rassuré. Tout à l'heure, il trouvait simplement le cycliste embêtant ; maintenant, il le savait dangereux. Ce ne devait pas être n'importe qui, puisque même M. Ts'ao en avait peur.

A grandes enjambées, il rattrapa le type qui, en fait, les attendait. Quand il le dépassa, Siang-tse n'eut qu'à lui jeter un coup d'œil pour le jauger : police secrète ! Il avait l'habitude de voir des gens de la police secrète dans les maisons de thé. Il connaissait leur mine et leur habillement : grosse veste verte, chapeau de feutre enfoncé jusqu'aux yeux.

Derrière la colline King-chan, le cycliste tourna vers le nord en direction de la porte Arrière. Siang-tse s'essuya le front. La neige était moins dense. Au lieu de grains, c'étaient à nouveau des flocons. Siang-tse aimait mieux cela ; les flocons flottent plus légèrement dans l'air sans vous étouffer. Il se retourna pour demander :

— Où va-t-on, monsieur ?

— Chez M. Tso. Si on te demande qui je suis, dis que tu ne me connais pas.

— Bien, monsieur.

Siang-tse sentit son cœur battre plus vite, mais s'abstint de poser des questions.

En arrivant chez M. Tso, M. Ts'ao demanda à Siang-tse d'entrer directement dans la cour et de fermer la grande porte. M. Ts'ao était un peu pâle, mais restait calme. Il entra dans la maison. Siang-tse avait tout juste eu le temps de ranger le pousse qu'il ressortait, accompagné de M. Tso. Siang-tse le connaissait bien, c'était un ami intime des Ts'ao.

— Siang-tse !

M. Ts'ao parlait à toute allure.

— Rentre vite en taxi et dis à Madame que je suis ici. Que tout le monde vienne en taxi ; mais pas dans le même, compris ? Il faut que Madame apporte les affaires de toilette et ma collection de tableaux qui est dans le bureau. De mon côté, je vais lui téléphoner. Mais je crains qu'elle ne perde la tête et qu'elle n'oublie tout. Tu seras là pour le lui rappeler.

— Veux-tu que j'y aille ? proposa M. Tso à son ami.

— Inutile. Le type n'était pas forcément un détective. Cependant, vu les soupçons qui pèsent sur moi, je suis obligé d'être prudent. Pourrais-tu appeler un taxi ?

M. Tso alla téléphoner. M. Ts'ao prodigua une nouvelle fois ses recommandations :

— Je paierai à l'avance le chauffeur. Tu diras à Madame de ramasser ses affaires en vitesse, tout ce qu'il faut pour l'enfant, mais surtout, n'oubliez pas les tableaux dans le bureau. Quand tout sera prêt, demande à mère Kao de téléphoner pour avoir un taxi. Après leur départ, tu boucleras la grande porte. Tu dormiras dans le bureau, c'est là qu'il y a le téléphone. Tu sais t'en servir ?

— Appeler, non. Répondre, oui.

En fait, Siang-tse n'aimait pas du tout le téléphone. Mais pour tranquilliser son patron, il accepta.

— Donc tout va bien, reprit M. Ts'ao.

Et toujours sur le même rythme, il ajouta :

— Si jamais il y a quelque chose d'anormal, n'ouvre pas la porte. Tu es le seul à garder la maison, ils ne te lâcheront pas. Tu éteindras la lampe et tu escaladeras le mur de l'arrière-cour pour aller chez M. Wang. Tu connais bien la famille Wang, n'est-ce pas ? Tu t'y cacheras un moment avant de partir. Ne t'occupe ni de mes affaires ni des tiennes. L'important, c'est de ne pas te laisser prendre. Si tu perds quelque chose, je te rembourserai. En attendant, prends ces cinq yuans. Bon, maintenant, je vais appeler Madame. Tout à l'heure, tu lui répéteras ce que je viens de te dire. Ce n'est pas la peine de lui dire qu'on pourrait venir arrêter les gens ; le cycliste n'était peut-être pas de la police secrète. En tout cas, toi, ne t'inquiète pas non plus !

Le taxi arriva. Siang-tse monta dans la voiture avec des gestes gauches. La neige tombait toujours ; on ne voyait pas bien au-dehors. Comme il se tenait droit, sa tête touchait presque le toit. Il voulait réfléchir mais n'y parvenait pas. En attendant, il était intrigué par la flèche rouge sur le côté de la voiture et par les brosses qui, en se balançant de gauche à droite, essuyaient la buée sur le pare-brise. Il se lassait de ce jeu, lorsque la voiture s'arrêta devant la maison. Il descendit, un peu décontenancé.

Il allait sonner, lorsque surgit de l'obscurité un homme qui lui saisit le bras. Instinctivement, il chercha à se dégager. Il n'eut pas de peine à reconnaître le détective à bicyclette de tout à l'heure. Il ne bougea plus.

— Siang-tse, tu ne me reconnais donc pas ? dit le détective.

Souriant, il lui lâcha le bras.

Hébété, Siang-tse avala sa salive, sans répondre.

— On t'a arrêté et emmené à la colline de l'Ouest. Je suis le caporal Sun, te souviens-tu de moi ?

— Oh, caporal Sun.

En fait, ce nom ne lui disait rien. Lorsqu'il était parmi les soldats, il n'avait ni le loisir ni le cœur de regarder les sergents et les capitaines !

— Moi, je me souviens parfaitement de toi. Avec ta cicatrice sur le visage, c'est pas dur de te repérer. Tout à l'heure, en te suivant, j'avais encore des doutes. Maintenant que je t'ai devant moi, je suis sûr de ne pas me tromper !

— Vous avez à me voir ?

Siang-tse allait sonner.

— Bien sûr. Et c'est une affaire importante. On va causer à l'intérieur, si tu veux.

Sur ce, le détective – l'ex-caporal Sun – s'empressa de sonner à la porte.

— Mais je suis occupé, moi, rétorqua Siang-tse qui commençait à avoir des sueurs froides.

Il se disait : « Le laisser entrer, c'est introduire le loup dans la bergerie ! »

— Ne t'en fais pas. Je viens te voir pour ton bien.

Le détective eut un sourire mauvais. Lorsque mère Kao ouvrit la porte, il la bouscula en criant « pardon ! ». Sans que Siang-tse fût à même de parler à mère Kao, il l'entraîna vers la petite loggia non loin de la porte.

— C'est là que tu habites ?

Puis il ajouta :

— Mais c'est gentil tout plein ; tu n'es pas mal ici !

— Je suis occupé. Vous avez à me voir ?

Siang-tse était excédé par le bavardage de cet individu odieux.

— Je te répète qu'il s'agit d'une affaire sérieuse ! (Le détective souriait toujours, mais le ton était dur.) Pour ne rien te cacher, le nommé Ts'ao est un membre du parti clandestin. Il sera fusillé dès son arrestation. Il ne nous échappera pas. Toi, tu as la chance de me connaître. Nous autres, on est du même milieu, pas vrai ? C'est pour ça que je me suis dérangé pour venir te dire un mot. Si tu attends encore, tu seras pris dans le même filet. Nous, nous vivons à la sueur de notre front, pourquoi nous fourvoyer dans de sales histoires ?

— Mais on ne peut pas plaquer les gens comme ça !

Siang-tse n'oubliait pas les recommandations de M. Ts'ao.

— Plaquer les gens ?

Le détective, sans se départir de son sourire goguenard, leva les sourcils.

— C'est leur faute, pas la tienne. Ils se permettent de faire n'importe quoi, et c'est aux autres d'en subir les conséquences. Crois-moi, le jeu n'en vaut pas la chandelle. Mettons qu'on te garde trois mois, toi qui as toujours vécu libre comme un oiseau, pourrais-tu supporter aussi longtemps la chambre noire ? Eux, ils sont riches ; même en prison, ils seront encore bien traités. Mais toi, fauché comme tu l'es, tu seras attaché à un seau d'urine ! Et puis surtout, avec leur pognon, ils arriveront à sauver leur tête, à s'en tirer avec quelques années de prison. Mais il faudra alors un bouc émissaire et tout te tombera sur le dos. Toi, un innocent, tu iras te faire zigouiller à leur place au pont du Ciel. Tu crois que c'est juste ? Un type intelligent évite de s'attirer des ennuis. Ça n'est pas plaquer les gens. Nous autres les souffre-douleur, est-ce qu'on ne nous plaque pas tout le temps sans scrupule ?

Siang-tse prit peur. L'expérience de sa captivité lui permettait d'imaginer sans peine le supplice de la prison.

— Alors, je dois partir sans m'occuper d'eux ?

— Si tu te mêles de leurs oignons, qui s'occupera de toi après ?

Siang-tse ne sut que répondre. Après un instant d'hésitation, comme si sa conscience le lui avait dicté, il se décida :

— Bon, je m'en vais.

— Eh ! Minute !

Le sourire du détective devint cynique.

Siang-tse ne comprenait plus rien.

— Mon bonhomme, t'es pas un peu bouché, non ? Un détective ne laisse pas partir un client comme ça !

— Ça alors...

Siang-tse commençait à s'affoler.

— Ne fais pas l'idiot !

Le détective fixa Siang-tse de ses yeux durs.

— Tu as un peu d'économies ? Echange-les contre ta peau. Je gagne moins que toi par mois et je dois nourrir ma famille. Sans un petit extra de temps en temps, je n'arriverais jamais à joindre les deux bouts. Il y a l'amitié, bien sûr, sans cela je ne serais pas venu te prévenir. Mais les affaires sont les affaires. Si je ne te demande rien, mes pauvres gosses, je n'ai plus qu'à les nourrir avec du vent ! Allez, pas de blablabla. Combien as-tu ?

— Combien te faut-il ?

Siang-tse s'assit sur le lit.

— Donne ce que tu as. Il n'y a pas de prix fixe.

— Je suis prêt à aller en tôle !

— Tu l'as dit ? Tu ne le regretteras pas, hein ?

L'ancien caporal Sun plongea la main dans sa veste ouatée.

— Attention. Je peux t'arrêter tout de suite. Si tu refuses, je tire ! Si je t'emmène, tu peux dire adieu à tes économies. On te prendra tout, même tes vêtements, à l'entrée de la prison. Si t'as un brin de jugeote, tu changeras d'avis !

— Vous vous acharnez sur moi ; mais pourquoi vous vous adressez pas à M. Ts'ao ? balbutia Siang-tse avec effort.

— Lui, c'est le coupable n° 1. J'aurai une récompense quand je lui mettrai le grappin dessus. Sinon, tant pis pour moi. Car ces gens-là ont des relations. Tandis que toi, mon pauvre imbécile, si on te relâche, c'est comme si on pétait en l'air ! Te tuer ? Autant écraser une punaise. Passe-moi l'oseille et tu es libre. Sinon, au pont du Ciel !

Un grand gaillard comme toi, pas tant de chichis ! Et puis, c'est pas moi qui prendrai tout. J'aurai pas grand-chose après avoir partagé avec les copains. Combien t'as ?

Siang-tse se redressa. Les veines saillirent sur ses tempes. Il serra les poings.

— Si tu bouges, t'es foutu ! Je te préviens, on est nombreux dehors. Donne l'argent et que ça saute ! Tu sais où est ton intérêt !

La figure grimaçante du détective n'était pas belle à voir.

— J'ai rien fait à personne ! s'écria Siang-tse d'une voix larmoyante et il retomba sur son lit.

— Tu n'as rien fait à personne, mais tu as tiré le mauvais numéro. Pour avoir du pot, fallait déjà être riche dans le ventre de ta mère ! Maintenant, à quoi bon insister ?

Le détective hocha la tête, d'un air plein de compassion.

— Disons que je te maltraite une fois. Allez, pas d'histoires !

Siang-tse hésita encore un instant. Les mains tremblantes, il sortit le pot de dessous la couverture.

— Voyons un peu.

Le sourire réapparut sur le visage du détective. Il prit le pot et le cogna contre le mur.

Siang-tse regarda les pièces et les billets éparpillés sur le sol. Son cœur était prêt à éclater.

— C'est tout ?

Siang-tse resta muet. Il continuait de trembler de tout son corps.

— Ça va, je n'insiste pas. Après tout, je suis ton ami. T'as fait une bonne affaire d'acheter ta vie à si bon compte !

Siang-tse se leva et commença à enrouler sa couverture, pour partir.

— Laisse ça et va-t'en ! ordonna le détective.

— Mais avec ce froid...

Siang-tse avait les yeux rouges de colère.

— Je te dis de ne pas y toucher ! Fous-moi le camp !

Siang-tse ravala sa salive, se mordit les lèvres et sortit.

Dehors, la neige avait déjà un pouce d'épaisseur. Il marchait la tête baissée, laissant derrière lui une traînée d'empreintes sombres.

Où aller maintenant ? Problème urgent. Dans un hôtel borgne ? Non, avec son habit bien propre, on le volerait, sans parler des puces. Un hôtel plus recommandable ? Il n'avait pour toute fortune que les cinq yuans que M. Ts'ao lui avait donnés. Dans un bain public ? Ils fermaient à minuit.

Sans trop savoir comment, Siang-tse arriva à Tchong-hai. Du pont, on ne voyait, à droite et à gauche, que des étendues de neige. Il tâta son chapeau de laine : il était déjà tout humide. Personne sur le pont, pas même un agent de police. Quelques lampes, dans le tourbillon des flocons, semblaient clignoter comme des yeux. Cette désolation, Siang-tse la retrouvait dans son cœur.

12

Le monde silencieux et immobile lui parut mort. La neige qui tombait sans discontinuer voulait-elle absolument l'ensevelir ? Seul dans le silence, il éprouvait des remords. Non, il ne fallait pas penser uniquement à soi-même. Il devait se dépêcher de retourner chez les Ts'ao. Sans un homme à la maison, comment Mme Ts'ao et mère Kao allaient-elles se débrouiller ? Et les cinq yuans, c'était tout de même M. Ts'ao qui les lui avait donnés. Sans tergiverser davantage, Siang-tse prit ses jambes à son cou et courut à la maison.

Devant la porte, il y avait des empreintes et les traces de roues d'une voiture. Mme Ts'ao serait-elle partie ? Et pourquoi ce voyou de Sun ne l'avait-il pas arrêtée ?

Craignant de faire encore une fâcheuse rencontre, il se posta dans un coin près de la porte. Au bout d'un instant, n'ayant vu personne dans les parages, il se hasarda, le cœur battant, à pousser la porte. Il n'avait plus rien à perdre maintenant qu'il était sans foyer et sans le sou. Il franchit la porte et fit quelques pas en rasant le mur. Il vit que sa chambre était encore éclairée. Sa chambre ! Il eut envie de pleurer. Le dos courbé, il se glissa jusqu'à la fenêtre. Quelqu'un toussa à l'intérieur. C'était mère Kao. Siang-tse ouvrit la porte.

— Qui va là ? Ah, c'est toi. Tu m'as fait peur !

Mère Kao se serra la poitrine de ses mains pour se calmer, et s'assit sur le lit.

— Siang-tse, mais qu'est-ce qui t'est arrivé ?

Siang-tse ne pouvait plus parler tant il était ému. Il lui semblait n'avoir pas vu mère Kao depuis des années.

— Qu'est-ce qu'il y a ?

Mère Kao, elle aussi, était au bord des larmes.

— Avant ton arrivée, Monsieur avait téléphoné pour nous dire d'aller chez M. Tso. Lorsque tu es venu, n'est-ce pas moi qui t'ai ouvert la porte ? Mais tu étais avec un inconnu ; alors je n'ai rien dit. Je suis allée aider Madame à rassembler ses affaires. Finalement, tu n'es pas entré. Nous deux, dans le noir, on s'est démenées comme on pouvait. Le jeune seigneur dormait bien au chaud, on l'a arraché de dessous sa couverture ! Quand on a eu fini avec les paquets, on s'est précipité dans le bureau pour décrocher les tableaux. Toi tu ne t'étais toujours pas montré. Mais qu'est-ce que tu as fabriqué ? Je te le demande. Après, je suis sortie te voir ; plus personne ! Madame tremblait de colère, de peur aussi. C'est moi qui ai dû appeler une voiture au téléphone. Mais on ne pouvait pas abandonner la maison comme ça ! Alors, j'ai dit à Madame de partir sans moi. J'attendais ton retour pour la rejoindre chez M. Tso. Si tu ne venais pas, ce serait tant pis pour moi ; pas de veine. Mais te voilà ! Qu'est-ce qui s'est passé au juste ? Parle donc !

Silence.

— Mais réveille-toi ! Ne reste pas planté là comme une bûche !

— Pars !

Siang-tse trouva enfin un mot à dire : « Pars ! »

— Alors, tu gardes la maison ? demanda mère Kao en se calmant un peu.

— Quand tu verras Monsieur, tu lui diras que le détective m'a chopé et... qu'il ne m'a pas chopé.

— Qu'est-ce que c'est que ce charabia ?

Mère Kao était tellement furieuse et énervée qu'elle faillit éclater de rire.

— Écoute. Dis à Monsieur de se planquer en vitesse. Le détective a dit qu'il le trouverait. Ce n'est plus très sûr chez M. Tso. Vas-y vite. Moi, je vais dormir à côté, chez les Wang. Je vais boucler la porte ici. Demain, je vais chercher du travail. Tu présenteras mes excuses à Monsieur.

— Je n'y comprends goutte, soupira mère Kao. Enfin, je m'en vais. Le jeune seigneur a peut-être pris froid ; faut que j'aille voir. Alors, je dis à Monsieur que Siang-tse lui conseille de se cacher ; que Siang-tse s'occupe de fermer la porte ce soir et qu'il va dormir chez les Wang ; que demain, il va chercher du travail. C'est ça ?

Siang-tse acquiesça avec un signe de tête.

Après le départ de mère Kao, Siang-tse tira le verrou de la grande porte et retourna dans sa chambre pour éteindre la lampe. Son baluchon sur le dos, il courut dans l'arrière-cour. Il posa le paquet au pied du mur ; puis s'y agrippant des deux mains, il appela à voix basse :

— Vieux Tch'eng, Vieux Tch'eng !

C'était le tireur de la famille Wang. N'ayant pas reçu de réponse, Siang-tse décida d'escalader le mur. Il lança d'abord de l'autre côté du mur son paquet qui, en tombant dans la neige, ne fit aucun bruit. Son cœur battait très fort. Il grimpa sur le mur et sauta. Il se dirigea à pas de loup vers la chambre de Vieux Tch'eng. Tout le monde dormait. Silence de mort dans la cour. Siang-tse pensa qu'un cambrioleur n'aurait pas la tâche difficile. Il s'enhardit et avança d'un pas plus assuré. La neige dure crissait sous les pieds. Il toussa devant la chambre de Vieux Tch'eng. Celui-ci venait de se coucher et répondit aussitôt :

— Qui est là ?

— C'est moi, Siang-tse. Ouvrez-moi !

Dans sa solitude, la voix du vieux lui parut particulièrement chaleureuse.

Vieux Tch'eng alluma sa lampe, endossa une veste de peau trouée et ouvrit la porte :

— Qu'est-ce qu'il y a, Siang-tse ? A cette heure-ci !

Siang-tse entra. Il posa son paquet par terre et s'assit dessus, sans mot dire.

Vieux Tch'eng regagna son lit chaud et, indiquant du doigt sa veste trouée, il ajouta :

— Une cigarette ? Y'en a dans la poche.

Siang-tse n'osa pas refuser, lui qui ne fumait jamais. Il mâchonnait la cigarette entre ses dents.

— Alors quoi, demanda Vieux Tch'eng. T'as quitté le travail ?

— Non. Il y a eu une alerte. Toute la famille a décampé ; et moi, je n'ose pas rester à la maison.

— Quelle alerte ? demanda Vieux Tch'eng en se redressant.

— Je t'expliquerai demain. C'est trop compliqué.

Siang-tse essayait de démêler la situation et d'examiner les faits. Ce n'était pas si simple ! M. Ts'ao donnait des cours dans une université. Il avait parmi ses élèves un certain Yuan Ming qui venait souvent le voir pour discuter avec lui. M. Ts'ao avait des idées progressistes, tandis que son élève était un extrémiste. Cependant, en tant que professeur, M. Ts'ao considérait qu'un enseignant devait bien enseigner et un étudiant bien travailler. Il refusait de se laisser influencer par des relations privées dans l'appréciation du travail. Or, Yuan Ming avait des études une conception différente. Pour lui, un jeune, dans ce monde pourri, devait travailler en vue de la révolution ; en attendant, les études étaient d'ordre secondaire. D'ailleurs, il fréquentait M. Ts'ao pour deux raisons : *primo*, ils étaient assez proches sur le plan idéologique, encore qu'il reprochât à son professeur de n'être qu'un simple réformiste ; *secundo*, il espérait ainsi pouvoir obtenir ses unités, quel que fût le résultat de son examen. Son attitude était peut-être excusable, car en cette période de trouble, il n'était pas le seul. Mais M. Ts'ao, en fin d'année, ne lui accorda pas ses unités.

Yuan Ming dénonça M. Ts'ao auprès des responsables du parti au pouvoir, en leur rapportant tout ce que son professeur avait dit, en classe et en privé, au sujet de la politique et de la société : c'était donc un agitateur qui répandait des idées extrémistes parmi les jeunes !

M. Ts'ao en eut vent ; il ne fit qu'en rire. Il savait combien son socialisme était libéral et combien son amour pour l'art, propre à un lettré traditionnel, le rendait incapable d'agir. Et voilà qu'il était soupçonné d'être un des chefs de la révolution ! Cependant ses collègues et ses étudiants lui conseillèrent d'être prudent. Tout en s'efforçant de ne pas trop le prendre au tragique, il savait qu'il ne suffirait pas d'avoir du sang-froid pour être en sûreté.

M. Tso, qui avait de puissantes relations, lui avait dit :

— Au besoin viens chez moi. Ils ne viendront pas te chercher jusqu'ici. Tu resteras quelques jours ; on essaiera d'arranger les choses ; moyennant une forte somme d'argent ils te laisseront tranquille.

Le détective Sun et ses comparses savaient que M. Ts'ao se réfugierait chez M. Tso, qu'ils n'osaient pas toucher. Mais ils considéraient déjà comme une prouesse d'avoir effrayé M. Ts'ao et de l'avoir obligé à s'enfuir ; pour cela, ils escomptaient une récompense de leur supérieur. Ils n'avaient pas prévu d'extorquer quelques sous à Siang-tse. Mais puisque l'occasion s'était présentée, ils n'avaient pas hésité à en profiter.

Tant pis pour Siang-tse ! Il n'avait pas de veine ! Tout le monde arrivait à se débrouiller, sauf lui, parce qu'il était tireur. Il est naturel qu'un tireur se saigne aux quatre veines et se nourrisse de n'importe quoi. Il est normal qu'il fournisse le plus d'énergie possible contre le salaire le plus dérisoire et qu'il occupe la dernière place dans la société, en attendant d'être frappé par les lois et les hommes, et miné par toutes sortes de souffrances.

Dans la chambre de Vieux Tch'eng, sa cigarette terminée, Siang-tse n'y voyait toujours pas plus clair. Comme une poule à demi étranglée par un cuisinier, il ne souhaitait que de pouvoir respirer un peu. Il aurait voulu parler, mais les mots étaient impuissants pour exprimer ce qu'il avait sur le cœur. Il avait acheté un pousse et l'avait perdu ; il avait épargné de l'argent et l'avait perdu. Tous ses efforts ne réussissaient qu'à lui attirer le mépris des autres. Alors que lui n'avait jamais blessé personne ; même les chiens, il les évitait ! Maintenant, on lui mettait le couteau sous la gorge. Qu'allait-il faire ? S'il ne retournait pas chez les Ts'ao, où irait-il ?

— Est-ce que je peux passer la nuit ici ? demanda-t-il à Vieux Tch'eng.

Il se recroquevilla, comme un chien errant qui vient de trouver un coin à l'abri du vent. Il tenait toutefois à ne pas gêner son ami.

— Reste donc. Où veux-tu aller dans cette tempête ?
Par terre, ça va ? Sinon monte ici, on se serrera un peu.

Siang-tse ne voulut pas monter sur le lit.

Il se tourna et se retourna sans pouvoir s'endormir. Le
froid eut vite fait de rendre son molleton glacial comme
de l'acier. Il sentit des crampes dans ses jambes repliées.
Le vent qui pénétrait sous la porte lui piquait la tête
comme une multitude d'aiguilles. Il ferma les yeux et
enfouit sa tête sous la couverture. Le ronflement de
Vieux Tch'eng l'irritait ; il eut envie de se lever et de le
cogner une bonne fois. Le froid s'infiltrait peu à peu dans
la chambre. Il commença à avoir mal à la gorge ; il se
retint de tousser, de peur de réveiller son hôte.

Mère Kao savait qu'il passait la nuit chez les Wang.
Donc, si un vol était commis dans la maison cette nuit-
là, à qui la responsabilité, sinon à lui ? Il risquait d'être
soupçonné. Du coup, il ne sentit plus le froid ; il avait au
contraire les mains chaudes et moites. Retourner à la
maison ? Jamais de la vie ! Il avait payé assez cher pour
sauver sa carcasse. Mais si jamais il y avait un cambrio-
lage ?

Il se dressa sur son séant et appuya la tête contre ses
genoux, les paupières lourdes de sommeil. La nuit lui
semblait interminable.

Il passa un long moment à imaginer toutes les solutions possibles. Une idée lui vint. Il secoua son ami.

— Vieux Tch'eng, Vieux Tch'eng ! Réveille-toi !

— Quoi donc ?

Vieux Tch'eng n'avait guère envie d'ouvrir les yeux.

— Le pot de chambre est sous le lit.

— Réveille-toi un peu. Allume la lampe.

— Il y a des voleurs ?

Vieux Tch'eng se leva, à moitié endormi.

— T'es réveillé ?

— Hm...

— Regarde, mon ami. Voici ma couverture, mes vêtements et les cinq yuans que M. Ts'ao m'a donnés. Tu ne vois rien d'autre ?

— Non. Et puis ?

Vieux Tch'eng bâilla.

— T'es bien réveillé ? C'est tout ce que j'ai. J'ai pas emporté une ficelle ni un brin de paille de chez les Ts'ao.

— Sûr. C'est pas notre genre. On travaille pour les particuliers. On a les mains nettes. Quand ça marche, on reste ; quand ça ne marche pas, on s'en va. On ne prend rien aux gens. Y'a pas de doute !

— T'as bien vu ?

— Mais oui.

Vieux Tch'eng sourit.

— Dis donc, t'as pas eu froid ?

— Non, ça va !

13

Autant pour se réchauffer que pour effacer les traces de ses pas, sans faire de bruit, il trouva un balai dans un coin et sortit déblayer la neige. Il y en avait une bonne couche et il dut se courber très bas, car son balai était minuscule. Avec la neige, il fit deux tas au pied des saules. Il transpirait et se sentait mieux. En frappant du pied contre le sol, il souffla dans l'air glacé un grand jet de vapeur blanche.

Rentré dans la chambre, il remit le balai en place. Il s'apprêtait à enrouler sa couverture, lorsque Vieux Tch'eng se réveilla ; celui-ci bâilla longuement et dit d'une voix pâteuse :

— Il est tard !

Il s'essuya les yeux et plongea la main dans la poche de sa veste. Après deux bouffées de cigarette, il fut tout à fait réveillé.

— Siang-tse, ne pars pas encore ! Je vais chercher de l'eau chaude. On va boire un peu de thé. C'était dur, cette nuit, hein ?

— J'y vais, proposa Siang-tse pour la forme.

Il pensait encore à sa terreur de la veille.

— Non, c'est moi ! Je t'invite !

Vieux Tch'eng s'habilla prestement. Se contentant de fermer sa veste sans la boutonner, il s'en alla, le mégot au coin du bec.

— Holà ! Tout est balayé ! Ça c'est du sport ! Je t'invite pour la peine !

La gaieté de son ami le soulagea.

Un instant après, Vieux Tch'eng revint avec deux bols de soupe aux nouilles et une quantité de croissants et de petits beignets.

— J'ai pas fait de thé. Buvons ça d'abord. Si c'est pas assez, je vais en chercher d'autres. Quand on travaille dur, faut pas lésiner sur la nourriture. Viens !

Il faisait jour. La chambre était claire et froide. Les deux amis avalèrent leur soupe aux nouilles en soufflant bruyamment et en claquant la langue. Aucun ne parlait. En un éclair, ils avaient englouti les croissants et les beignets.

— Alors ?

Vieux Tch'eng enleva une graine de sésame d'entre ses dents.

— Je dois m'en aller.

Siang-tse jeta un coup d'œil sur sa couverture.

— Explique-toi un peu. J'ai encore rien compris.

Vieux Tch'eng tendit une cigarette à Siang-tse qui déclina l'offre.

Il fut obligé de tout raconter. Laborieusement, il vint à bout de son récit sans oublier trop de détails.

Vieux Tch'eng resta bouche bée un bon moment. Puis son visage s'illumina.

— A mon avis, tu ferais mieux d'aller trouver M. Ts'ao. Tu ne peux pas te laisser voler sans réagir. M. Ts'ao ne t'a-t-il pas dit de t'enfuir sitôt qu'il se passerait quelque chose ? T'as été coincé en descendant de la voiture ; c'était pas de ta faute. T'étais bien obligé de penser à ta peau, non ? A ta place, je crois que j'aurais fait pareil. Va voir M. Ts'ao et raconte-lui tout. Il ne te fera pas de reproches. Il te remboursera même ! Vas-y et laisse tes affaires ici. Les jours sont courts. Le soleil se lèvera à huit heures. Grouille-toi !

Le soleil matinal brillait déjà sur la ville enneigée. Le ciel était bleu et la neige d'une blancheur immaculée. Une lumière aveuglante éblouissait les gens et leur donnait une mine épanouie. Siang-tse allait partir lorsqu'on frappa à la porte. Vieux Tch'eng sortit voir et cria aussitôt :

— Siang-tse, on te demande !

Wang le Second, de la maison Tso, la goutte au nez, tapa des pieds devant la porte pour ôter la neige de ses chaussures. Comme Siang-tse était sorti aussi, Vieux Tch'eng proposa :

— Entrons plutôt nous asseoir.

En se frottant les mains, Wang le Second dit :

— Y'a pas moyen d'entrer chez les Ts'ao. On m'a envoyé pour voir ce qui s'y passe, quoi. Il fait bigrement froid ! M. et Mme Ts'ao sont partis ce matin, quoi, pour Tien-tsin ou pour Shang-hai, je ne sais pas au juste. M. Tso m'a envoyé garder la maison, quoi. Quel froid de canard !

Siang-tse faillit éclater en sanglots. Il allait suivre le conseil de Vieux Tch'eng et voilà que M. Ts'ao était parti ! Il finit par demander :

— M. Ts'ao n'a rien dit sur moi ?

— Non. Il faisait nuit, quoi. Pas le temps de parler. Le train partait à sept heures quarante, quoi. Mais comment je vais faire pour entrer là-bas ?

— Il faut escalader le mur, dit Siang-tse en regardant Vieux Tch'eng, comme pour lui confier le soin de s'occuper de Wang le Second. Il ramassa son paquet de couvertures.

— Où vas-tu ? demanda Vieux Tch'eng.

— Où veux-tu que j'aille ? Au garage Jen-ho, pardi !

Ces mots contenaient toute son humiliation et son impuissance. Démuni de tout, il ne lui restait qu'à se rendre, et à abandonner tout souci de dignité pour aller chercher, sur la terre enneigée, la figure de celle qui ressemblait à une pagode noire !

La neige dans les rues se transformait en boue. Les chemins de terre étaient criblés de trous noirs laissés par les chevaux. Siang-tse, son ballot sur l'épaule, ne pensait qu'à mettre un pied devant l'autre. Il atteignit enfin le garage Jen-ho. Les joues en feu, il pénétra tout droit à l'intérieur ; s'il avait hésité une seconde, tout son courage l'aurait abandonné. Il allait dire à Tigresse : « Me voilà. Fais comme tu veux. Moi, je n'ai plus rien d'autre à faire ! »

Mais quand il la vit, il ne parvint pas à sortir un seul mot.

Liou le Quatrième Seigneur buvait du thé. Devant lui était posé un brasero d'où montait une grande flamme. En voyant entrer Siang-tse, il s'écria sur un ton gentiment grondeur :

— Tu es encore vivant ! Je croyais que tu m'avais oublié. Ça fait une éternité que tu n'es venu ! Comment ça va ? T'as acheté un pousse ?

Siang-tse secoua piteusement la tête. Il dit, le cœur serré :

— Loue-moi un pousse, Quatrième Seigneur.

— C'est fichu à nouveau, hein ? Bon, va en choisir un.

Quatrième Seigneur lui versa un bol de thé.

— Tiens, bois ça d'abord.

Siang-tse prit le bol à deux mains et but à grandes gorgées devant le brasero. Le thé était bien chaud, le feu aussi. Le sommeil le gagna. Il s'apprêtait à sortir ; Quatrième Seigneur l'arrêta.

— Attends un peu. Ne te presse pas. Tu tombes à pic. Le 27, c'est mon anniversaire. Je ferai monter une tente dans la cour et j'inviterai un tas de monde.

Puis, montrant les dortoirs au fond de la cour :

— Mais je ne peux pas compter sur eux. Ils vont faire un de ces charivaris. Tu vas m'aider et faire ce qu'il faut sans que j'aie besoin de te donner des ordres. Commence par balayer la neige. A midi, je t'invite à manger une marmite mongole.

— Entendu, Quatrième Seigneur.

Siang-tse s'exécuta. Puisqu'il mettait son sort entre les mains du père et de la fille, il n'avait qu'à se laisser faire.

— C'est bien ce que je disais, déclara Tigresse en entrant très à propos ; il n'y a que Siang-tse qui sache tout faire. Les autres ne valent rien.

Quatrième Seigneur sourit. Siang-tse baissa le nez.

— Viens, Siang-tse !

Tigresse l'entraîna dehors.

— Voilà l'argent. Achète d'abord un balai en bambou, c'est plus solide. Il faut enlever la neige illico presto ; les gens viennent aujourd'hui monter la tente.

Lorsqu'ils furent dans la chambre de Tigresse, tout en comptant l'argent, elle lui dit :

— Tâche de faire plaisir au vieux. Y'a de l'espoir pour notre affaire !

Siang-tse ne répondit rien. Il ne réagissait plus : il avait appris à être fataliste. Il mangerait s'il y avait à manger et travaillerait s'il y avait du travail. Ainsi, une journée passerait vite. Comme un mulet tournant autour d'une noria, il ne se demandait plus pourquoi il trimait.

Le lendemain matin, ceux qui avaient monté la tente vinrent achever la décoration. On accrocha des images représentant des scènes de batailles des Trois Royaumes. Les héros, dont les figures ressemblaient à des masques peints, caracolaient sur de magnifiques chevaux et brandissaient une forêt de lances et d'épées. Quatrième Seigneur les contempla d'un œil satisfait. Peu après, on vint livrer les meubles. On dressa huit tables sous la tente. Les coussins et le dessus des chaises étaient en tissu rouge brodé. Dans la grande salle fut élevé un autel chargé de coupes d'encens et de chandelles en porcelaine bleue. Devant l'autel, on déroula quatre tapis rouges.

Quatrième Seigneur envoya Siang-tse chercher des pommes. Tigresse lui glissa deux yuans par-derrière, en lui recommandant d'acheter des pêches et des gâteaux de longévité sans oublier d'ajouter sur les pêches les figures des Huit Immortels. Il les offrirait lui-même à Quatrième Seigneur. Il revint avec les pommes qu'il disposa sur l'autel. Peu après, les pêches et les gâteaux furent livrés, et placés derrière les pommes. La plus grosse pêche dont le bout avait été peint en rouge et qui portait les figures des Huit Immortels trônait au milieu.

— Comme Siang-tse est gentil, c'est lui qui te l'a offerte ! chuchota Tigresse à l'oreille de son père qui adressa un large sourire à Siang-tse.

Il manquait encore sur le mur du fond le gros caractère *cheou* [1]. Selon la tradition, c'était aux amis de l'offrir. En constatant que personne encore n'y avait songé, Quatrième Seigneur, blessé dans son amour-propre, tempêtait :

— Quand c'est la fête des autres, je fais tout ce qu'il faut pour eux. Mais quand c'est mon tour, on ne remue même pas le petit doigt. Merde !

---

1. *Cheou* : longévité.

— Demain, 26, on y mettra la dernière main. On a encore le temps ! lui cria Tigresse pour le consoler.

— Moi, je veux que tout soit prêt tout de suite. Ça m'énerve de laisser les choses en chantier. Siang-tse, il faut que la lanterne soit accrochée aujourd'hui. S'ils ne la livrent pas à quatre heures, ils auront affaire à moi !

— Siang-tse, va les presser un peu !

Tigresse n'avait de cesse qu'elle ne fît valoir Siang-tse aux yeux de son père. Siang-tse obéit sans regimber.

— Je me disais, père, dit-elle avec une moue câline, si tu avais un fils, ou bien il serait de mon type, ou bien c'est à Siang-tse qu'il ressemblerait. Malheureusement, il y a eu un faux départ, je n'y peux rien. Au fond, ce ne serait pas mal d'avoir un filleul comme Siang-tse ! Regarde-le. Mine de rien, il a tout fait.

Quatrième Seigneur ne répondit pas. Pensant à autre chose, il dit :

— Et le phonographe ? Eh là ! Un peu d'ambiance !

On fit marcher un vieux phonographe, emprunté on ne sait où, et qui émettait des sons aussi grinçants que les hurlements d'un chat auquel on a marché sur la queue. Quatrième Seigneur ne s'en trouvait nullement gêné ; tout ce qu'il demandait, c'était du bruit !

Dans l'après-midi, tout était fin prêt. On n'attendait plus que les cuisiniers qui devaient venir le lendemain pour garnir la table. Quatrième Seigneur, après une inspection générale, hocha la tête de satisfaction devant les décors bariolés.

Le soir il alla prier M. Feng, patron du magasin de charbon T'ian-chouen, de s'occuper de la comptabilité. Celui-ci, originaire du Chen-si, était un homme scrupuleux. Il vint aussitôt jeter un coup d'œil et demanda à Siang-tse d'acheter deux cahiers de comptes et du papier rouge. Il découpa le papier rouge en plusieurs carrés sur lesquels il écrivit le caractère *cheou* et les colla partout.

Quatrième Seigneur apprécia le tact de M. Feng et voulut le garder pour jouer au ma-jong ; celui-ci, se sachant vaincu d'avance, préféra se dérober.

Frustré de sa partie de ma-jong, Quatrième Seigneur alla bouder dans un coin. Il se dirigea vers un groupe de tireurs.

— Y a-t-il un volontaire pour jouer de l'argent avec moi ?

Tout le monde aimait le jeu, mais personne n'osait être l'adversaire de Quatrième Seigneur. On n'ignorait pas qu'il avait été patron d'une maison de jeu !

— Vous alors, bande de dégonflards ! Quand j'avais votre âge, je me lançais sans un sou en poche. On se débrouille après, quoi ! Allons !

— Je veux bien, mais avec des piécettes de cuivre, hasarda un tireur.

— Tu peux garder tes piécettes. Quatrième Seigneur ne joue pas comme un gosse !

Le vieux vida une tasse de thé et caressa son crâne chauve.

— Laissez tomber. Je n'ai plus envie de jouer. Allez plutôt prévenir tout le monde : demain on prépare les tables et, dans la soirée, il viendra déjà des amis. Il faudra rentrer les pousses avant quatre heures. Après ça, je ne veux pas de boucan, vous ne paierez pas de location pour cette journée. Une de gratuite : dites que je suis bon ! Après-demain, c'est mon anniversaire. Donc, congé pour tout le monde. Le matin, à huit heures et demie, on vous servira : six grands plats, deux plats secondaires, quatre assiettes de petits mets, une marmite mongole. Vous n'allez pas dire que je ne vous gâte pas ! Vous mettrez vos vestes ; ceux qui seront mal nippés, je les flanquerai dehors ! Après, vous me ferez le plaisir de ficher le camp. Je dois recevoir des amis. Eux, ils mangeront : trois grandes entrées principales, six assiettes de viandes froides, six assiettes de légumes sautés, quatre grands bols de viandes en sauce et une marmite mongole. Je vous dis à l'avance leur menu pour que vous ne soyez pas là à reluquer leurs tables ! Ce sont des amis et je leur dois des égards. Je ne vous demande rien, mais ceux qui ont de l'estime pour moi m'offriront dix centimes. Ça me suffira. Les autres me feront trois fois le ko-t'eou, je l'accepte aussi. Faut être convenable quoi ! Le soir, si vous voulez manger encore, rentrez après six heures, mais pas avant. Tout ce qui restera du repas de midi sera à vous, compris ?

Personne ne trouva rien à répondre. Ils restaient là, embarrassés, cherchant désespérément un prétexte pour s'en aller. Ils se sentaient tous victimes d'une injustice. Une journée gratuite, c'est bien joli ; mais qui aurait le toupet de prendre un repas sans offrir quelque chose, au moins une quarantaine de piécettes de cuivre ? Et puis cette suffisance ! Parce que lui, le patron fêtait son anniversaire, les autres devaient se terrer comme des rats. Et surtout, le 27, personne n'avait le droit de sortir son pousse. Or, on était en pleine fête de fin d'année ; une journée de perdue, ça coûtait cher ! Ils gardaient le silence, sans oser manifester leur mécontentement. En tout cas, ils étaient loin de formuler de bons vœux pour leur patron.

Leur colère trouva immédiatement un bouc émissaire. Tous les regards tombèrent sur l'ombre de Siang-tse. Depuis deux jours, il s'échinait comme un chien pour le patron. Lui-même ne s'en rendait pas compte. Il trimait pour oublier ses soucis. Le soir, il restait à l'écart des autres tireurs, parce qu'il avait toujours été taciturne.

Mais les autres qui ne connaissaient pas ses mésaventures et croyaient qu'il faisait du lèche-bottes au patron, ne daignaient plus lui adresser la parole. Les égards de Tigresse pour lui les énervaient particulièrement. Pour sûr, Siang-tse passerait toute la journée du

27, là, à se gaver de bonnes choses. Le voilà justement qui se précipite à l'appel de Mlle Tigresse ! On baisse la tête à son passage en feignant l'indifférence ; mais on le suit des yeux. N'est-il pas en train de bavarder avec Mademoiselle sous le réverbère ? On se jette un coup d'œil d'un air entendu.

14

Le 27, l'animation commença tôt le matin chez Quatrième Seigneur. Il était ravi de voir tant de gens venir lui souhaiter bon anniversaire ; et parmi eux notamment de très vieux amis. Il constata, avec satisfaction, qu'à côté d'eux, il était dans le ton de la « réforme ». Sa robe doublée de fourrure et sa grande veste avaient été confectionnées pour la circonstance, tandis qu'eux portaient des habits complètement démodés. D'autre part, certains d'entre eux, autrefois plus riches que lui, se trouvaient maintenant, après vingt ou trente ans de vicissitudes, dans la gêne. Ils faisaient pitié, dans cette brillante réception : salle magnifiquement décorée, autel richement garni, banquet avec trois grandes entrées principales... qui confirmaient la réussite sociale de Quatrième Seigneur.

Il reçut, drapé dans une attitude cérémonieuse, les vœux qu'on lui adressa, comme un héros revenu de quelque exploit prodigieux. L'après-midi, il perdit un peu de sa superbe ; il était secrètement jaloux des femmes et des enfants. Il regrettait de n'avoir pas eu un fils qui aurait continué son entreprise. Il faillit donner libre cours à sa mauvaise humeur. Mais il se contint. Il

126

tenait à rester digne de son rang devant ses parents et amis. Il en vint à attendre avec impatience la fin de la journée qui le libérerait de son supplice.

De plus, au repas du matin, il faillit y avoir une bagarre entre Siang-tse et ses camarades.

Dès huit heures du matin, le repas des tireurs était prêt. Ils se rassemblèrent avec des mines maussades. Certes, ils n'avaient pas payé la location le jour précédent, mais ils devaient offrir quelque chose en échange de ce repas, qui un mao, qui quarante piécettes. Ordinairement, Quatrième Seigneur était le patron et eux les coolies. Mais ce jour-là, en tant qu'invités, ils s'estimaient lésés. Après le repas, ils devaient vider les lieux et n'avaient même pas le droit de sortir leur pousse, un jour de fête !

Siang-tse savait qu'il n'aurait pas à déguerpir après le repas ; mais il tint à manger avec les autres. C'était plus sympathique, et plus commode, car il pourrait ensuite travailler. Il s'assit, entouré de regards furibonds. On l'interpella :

— Holà, toi, l'invité d'honneur, tu viens manger avec nous ?

Siang-tse ne sentit pas la pique et sourit naïvement. Depuis plusieurs jours, il n'avait pas ouvert la bouche et ne s'était pas occupé de leurs médisances.

Comme ils n'osaient pas manifester leur mécontentement devant Quatrième Seigneur, les tireurs se vengèrent en se goinfrant le plus possible ; ou plutôt, en buvant autant qu'ils le purent, car le nombre de plats était limité, alors qu'on avait, comme il se doit, du vin à volonté. Les uns buvaient sans rien dire ; les autres jouaient au poker chinois en braillant à tue-tête. C'était leur droit : le patron ne pouvait pas les en empêcher. Siang-tse, pour sa part, but aussi deux verres. Les visages des convives ne tardèrent pas à s'empourprer et les langues à se délier.

— Siang-tse, Chameau, c'est du beau, ce que tu fais là ! Faire du lèche au seigneur et à la demoiselle, ripailler toute une journée ; t'as qu'à continuer comme ça et bientôt, t'auras plus besoin de ton pousse !

Siang-tse commençait à sentir leur malveillance, sans en être trop affecté. Depuis son retour au garage, il se contentait de vivre au jour le jour et ne cherchait nullement à se distinguer. Aussi s'efforça-t-il de se retenir. Mais on continuait de plus belle :

— Mais oui, Môssieu Siang-tse ne fait pas comme tout le monde. Nous autres, on se démène dehors pour gagner des sous. Lui, il travaille « par-dedans » !

Tout le monde éclata de rire. Siang-tse comprit que ses camarades se payaient sa tête. Il ne broncha pas ; il avait vu pire. Les tireurs des autres tables ne voulaient pas être en reste. L'un d'eux cria à Siang-tse en allongeant le cou :

— Siang-tse, un jour quand tu seras le patron, ne nous oublie pas trop, hein !

Un autre enchaîna :

— Dis quelque chose, Siang-tse ; reste pas muet comme une carpe !

Siang-tse rougit et dit d'une voix sourde :

— Pourquoi serais-je patron ?

— C'est dans tes moyens. Bientôt, ce sera le tralala des noces !

Siang-tse ne saisit pas tout de suite la plaisanterie. Il devina qu'on faisait allusion à ses relations avec Tigresse. Son visage devint livide. Il se rappela tout ce qu'il avait subi en silence depuis plusieurs jours. Un tireur lança en le montrant du doigt :

— Regardez-le. On dirait « un muet qui mange des raviolis ; il sait bien combien il en a avalé, mais il ne peut pas le dire ». N'est-ce pas, Siang-tse, avoue-le !

Siang-tse, pâle comme un mort, se leva d'un bond.

— Viens me le dire dehors, si t'es un homme !

Tout le monde se tut comme par magie. Ils avaient envie de blaguer, mais pas la moindre intention de se bagarrer. D'une seule voix, ils dirent :

— Mollo, Siang-tse, mollo. C'était pas méchant !

Quatrième Seigneur, qui avait assisté à la scène, ordonna :

— Assieds-toi, Siang-tse ! Et vous, faut pas chercher à taper sur quelqu'un parce qu'il est gentil. Si vous remettez ça, je vous fous à la porte avec un coup de pied là où je pense ! Dépêchez-vous de finir de manger !

Après le repas, les tireurs sortirent de la tente par petits groupes. Il n'y eut pas de bagarre ; Siang-tse n'en avait d'ailleurs pas besoin pour se calmer. Il regrettait plutôt que son acte eût choqué tout le monde. Il n'avait déjà pas d'amis intimes ni de confidents ; et voilà qu'il augmentait encore le nombre de ses ennemis. Les sarcasmes dont il venait d'être accablé lui faisaient mal. Il en vint à se demander si sa manière de vivre était vraiment la bonne. Les autres qui se bagarraient à tout bout de champ et qui ne mangeaient pas à leur faim ne s'en portaient pas plus mal. Au fond, était-ce payant d'être correct et honnête ? Il voyait s'ouvrir devant lui une autre voie qui lui permettrait de faire entièrement peau neuve : être l'ami de tout le monde ; chercher partout le profit ; boire le thé et fumer les cigarettes des autres sans vergogne ; ne jamais rendre l'argent emprunté ; ne jamais laisser le passage aux voitures ; pisser partout où il pourrait ; jouer des tours pendables aux agents et ne pas craindre de passer deux ou trois jours au violon... Oui, pourquoi ne pas devenir un voyou ? Les tireurs de ce genre arrivaient à vivre aussi, et même joyeusement. Ça leur donnait par-dessus le marché un air de héros endurci qui n'a peur de rien.

Quatrième Seigneur n'était pas myope. Il avait compris les trois quarts de l'histoire. Ces derniers jours, Tigresse était sage comme une image, précisément à cause du retour de Siang-tse ! Elle ne le perdait pas de vue un seul instant. Le vieillard ne put s'empêcher de s'apitoyer sur lui-même. Sans fils, il n'avait pas pu fonder un véritable foyer. Si sa fille le quittait, il aurait trimé toute une vie pour rien. Il n'était pas mal ce Siang-tse ; mais de là à le prendre comme gendre... Ce tireur puant ! Quoi, après avoir couru tant d'aventures, trempé dans tant d'histoires, subi tant de supplices, il se laisserait avoir par ce campagnard qui lui raflerait sa fille et ses biens ! Mieux valait ne pas y penser ! On ne faisait pas ça à quelqu'un qui s'appelait Liou le Quatrième Seigneur !

Le soir, lorsque les lampes furent allumées, les invités prirent congé les uns après les autres. Il ne resta plus qu'une dizaine d'intimes ou de voisins qui se mirent à jouer au ma-jong. Seul devant les toiles de la tente verdâtres à la lumière des lanternes et les tables dont on avait ôté les nappes, le vieillard se sentit envahi de tristesse. A sa mort, les choses ne se passeraient pas autrement. Le décor serait blanc au lieu d'être rouge. Ces mêmes hommes joueraient au ma-jong pendant la veillée. Pas un enfant ne viendrait s'agenouiller devant son cercueil. Soudain une envie folle le prit de chasser ses invités, pendant qu'il était encore en vie ! Il se retint, mais sa colère tomba sur sa fille dont il ne pouvait supporter la vue. Et ce sacré Siang-tse ! N'était-il pas assis sous la tente, avec sa tête de chien et sa cicatrice qui brillait comme un morceau de jade. Quel couple !

Tigresse, qui d'ordinaire n'en faisait qu'à sa tête, avait soigné sa mise. Elle recevait les invités avec beaucoup d'application ; pour forcer l'admiration de tous, et en particulier celle de Siang-tse. Son ardeur dura toute la matinée. Dans l'après-midi, un peu fatiguée, elle commença aussi à s'énerver. Le soir, elle perdit toute patience ; on la voyait rôder, l'air sombre et les sourcils levés.

M. Feng fit l'inventaire des cadeaux : vingt-cinq banderoles panégyriques, trois caisses de pêches et de gâteaux de longévité, une jarre de vin, deux paires de bougies, et une vingtaine de yuans qui donnaient une idée du nombre considérable d'invités, la plupart n'ayant donné que quarante piécettes ou un mao.

Ce rapport fit sortir Quatrième Seigneur hors de ses gonds. Il n'aurait dû offrir à ses invités que des nouilles sautées aux légumes ! Pour un banquet avec trois grandes entrées, on n'offrait qu'une fraction de décime ! On se foutait de sa poire ! Désormais, il n'organiserait plus de fête. Tout le monde, parents et amis compris, voulait profiter de lui. Lui, le roublard et le malin, à soixante-neuf ans tombait dans le panneau et se laissait narguer par cette bande de macaques ! Plus il y pensait, plus il était furieux. Toute la satisfaction qu'il avait éprouvée dans la journée lui apparaissait comme l'effet d'une duperie. Il se mit à grommeler des injures de son jeune temps et qui maintenant faisaient vieux jeu.

Tigresse voulut empêcher son père de faire des éclats devant les amis qui étaient encore là. En fait, absorbés dans le jeu, ils n'avaient pas entendu ses invectives. Elle n'insista pas pour ne pas attirer leur attention.

Mais le vieillard n'en resta pas là. Il en arriva à se plaindre de Tigresse. C'en était trop pour elle ! Pour son anniversaire, elle avait travaillé dur pendant plusieurs jours. Et voilà la récompense qu'il lui réservait ! Ce n'est pas parce qu'on a soixante-neuf ans qu'on peut se croire tout permis. Elle rétorqua :

— C'est toi qui as vu grand. C'est pas ma faute si tu y as perdu !

Devant la contre-attaque de sa fille, le vieillard se raidit.

— Pas ta faute ? Tu me crois donc bigleux au point de ne plus y voir clair ?

— Qu'est-ce que tu vois ? J'ai trimé toute la journée, je suis vidée, vannée, et tu viens encore te défouler sur moi ! Alors, qu'est-ce que tu vois ?

Tigresse se sentait toute revigorée par le feu de la dispute.

— Ne crois pas que je ne m'occupe que de mes affaires ! Toi, et tes œillades ; j'ai tout vu !

— Mes œillades ? dit-elle en secouant la tête. T'as la berlue ?

— Et ça ?

Quatrième Seigneur désignait Siang-tse qui était en train de balayer la tente.

— Lui ?

Tigresse frémit. La clairvoyance de son père la surprit.

— Eh bien, quoi, lui ?

— Pas la peine de jouer à cache-cache !

Le vieillard se redressa.

— Ou c'est lui, ou c'est moi, te voilà prévenue. Je suis quand même ton père ; j'ai mon mot à dire !

Tigresse n'avait pas prévu que les choses iraient si vite. Que faire ? Le sang lui monta aux joues. Son visage brun, couvert d'un reste de poudre et éclairé par les lanternes, offrait, en rougissant, l'aspect d'un morceau de foie de porc trop cuit. Fatiguée et excédée, elle cherchait désespérément une issue. Elle décida de jouer le tout pour le tout.

— Puisqu'on y est, jouons cartes sur table ! Supposons que c'est vrai, que vas-tu faire ? Je voudrais bien le savoir ! C'est toi qui l'auras voulu !

Siang-tse entendit la querelle, mais continua à balayer. Le moment décisif était donc arrivé. S'il y avait un pépin quelconque, il était prêt à se servir de ses poings.

— Tu le fais exprès pour me coincer ! grommela le vieux Liou en roulant des yeux exorbités. Tu comptes bien que je vais crever de colère pour pouvoir en entrete-

nir un autre avec mes sous, hein ? Eh bien, c'est raté !
J'ai l'intention de vivre encore des années !

— Pas de baratin inutile. Que vas-tu faire ?

Tigresse lui tenait la dragée haute, bien qu'elle se sût
désarmée.

— Mais je te l'ai dit : ou c'est lui, ou c'est moi. Je ne
me laisserai pas avoir par un tireur puant !

Siang-tse rejeta son balai. Se redressant de toute sa
taille, il regarda Quatrième Seigneur dans le blanc des
yeux.

— De qui parles-tu ?

Quatrième Seigneur rit nerveusement.

— Ha ! le petit morveux se révolte ? De qui parles-tu ?
Mais justement de toi ! Fiche-moi le camp. Je t'ai fait un
honneur en t'invitant et maintenant tu veux me marcher
sur les pieds. Je vois que tu ne me connais pas ! File et
que je ne revoie plus ta sale gueule ! Ha ! Profiter de
moi...

Siang-tse n'avait jamais eu la parole facile. Il avait
une foule de choses à dire, mais il n'arrivait pas à sortir
un seul mot. Il restait planté là, à avaler sa salive.

— Fiche-moi le camp. Tu voulais me manger la laine
sur le dos ? Fichtre ! Tu n'étais pas né quand j'étais un
dur à cuire !

Tout en criant, le vieillard avait conscience qu'il allait
trop loin dans les insultes. Au fond, il en voulait moins à
Siang-tse qu'à sa fille. Il le trouvait, malgré tout, brave
garçon.

— Ça va, je m'en vais !

Siang-tse opéra la retraite devant les assauts du
vieillard.

Les tireurs, qui assistaient à la scène, se félicitèrent
d'abord de voir Siang-tse brimé par le patron ; mais lorsqu'ils virent qu'il allait être chassé, ils se rangèrent de
son côté. Après tous les services qu'il avait rendus au
patron, il était rejeté comme une vieille écorce – c'était

133

ce qu'on appelait « démolir le pont après avoir traversé la rivière ». Ils s'approchèrent de lui.

— Alors, Siang-tse ?

Il hocha la tête sans rien dire.

— Attends, Siang-tse ! cria Tigresse, subitement illuminée.

Son plan avait échoué ; elle devait au moins réussir à conserver Siang-tse. Sinon, elle perdrait sur les deux tableaux.

— On est deux sauterelles liées par une même ficelle. L'une ne peut pas bouger sans l'autre. Attends un peu, que je trouve le temps de tout expliquer.

Puis elle se tourna vers son père.

— Autant te le dire carrément : je suis enceinte et c'est de Siang-tse ! Je le suivrai. Tu me donnes à lui, ou tu nous chasses tous les deux ; à toi de décider !

Tigresse sortait son dernier atout. Quatrième Seigneur ne s'attendait certes pas à ce coup-là. Il s'efforça de ne pas perdre la face devant les assistants.

— T'as pas honte de déballer ça en public ! J'en rougis pour toi !

Et il se donna une gifle.

— T'as pas honte ! Hai !

Tigresse saisit au vol la perche qui lui était tendue.

— Honte, moi ? Ça c'est la meilleure ! Et qu'est-ce qu'on pourrait dire sur ton passé crapuleux ! Moi, c'est la première fois et par ta faute. Une fille doit se marier. Toi, avec tes soixante-neuf ans, t'as pas vécu !

Montrant les spectateurs d'un geste éloquent, elle ajouta :

— Parfaitement, on va s'expliquer devant tout le monde. Tu profiteras de ta tente d'anniversaire pour fêter mon mariage !

— Hein ?

Quatrième Seigneur blêmit. Il affecta de reprendre ses anciennes manières de voyou.

— Je brûlerai la tente plutôt que de te la laisser !

— C'est bon.

Les lèvres de Tigresse tremblaient. Elle déclara d'une voix dure :

— Je plie bagage. Combien me donnes-tu ?

— L'argent est à moi, je le donnerai à qui je veux !

La menace de sa fille avait porté un coup au cœur du vieillard. Mais devant tant de témoins, il ne voulait pas céder d'un pouce.

— Ton argent ? J'ai bossé tant d'années pour toi. Sans moi, tes sous seraient dans les griffes de je ne sais quelle sale putain ! Ne sois pas sans cœur ! Et toi, Siang-tse, dis quelque chose ! reprit-elle en se tournant vers celui-ci.

Siang-tse ne dit mot.

15

Les trois protagonistes restèrent face à face, dans une atmosphère tendue. Les tireurs ne pouvaient intervenir. Les joueurs de ma-jong, pour rompre le silence, avancèrent timidement des banalités : il ne fallait pas être trop impulsif ; tout se tasserait si chacun gardait son sang-froid... Autant de parlotes qui ne changeaient rien au fond du problème. Plusieurs tentèrent de filer sur la pointe des pieds.

Profitant de ce qu'il y avait encore des témoins, Tigresse saisit M. Feng, le propriétaire du magasin de charbon T'ian-chouen.

— Monsieur Feng, vous avez assez de place dans votre magasin pour héberger Siang-tse pendant deux jours. Il ne restera pas longtemps ; notre affaire sera très vite réglée. Siang-tse, va avec M. Feng. On reparlera de tout ça demain. Je ne sortirai d'ici que sur un palanquin de mariée ! Monsieur Feng, je vous le confie ; vous me l'enverrez demain !

M. Feng soupira d'un air embarrassé ; il ne tenait guère à en prendre la responsabilité. Siang-tse n'avait qu'une envie : sortir au plus vite.

— Mais je ne me défilerai pas ! lança-t-il à l'adresse de Tigresse.

Après avoir gratifié son père d'un dernier coup d'œil furieux, celle-ci courut s'enfermer à double tour dans sa chambre. On l'entendit bientôt sangloter bruyamment.

M. Feng conduisit Quatrième Seigneur sous la tente. Le vieillard reprit son air gouailleur pour offrir une dernière tournée.

— Soyez tranquilles. Désormais, elle ira de son côté et moi du mien. Comme ça, plus de dispute. Je ferai comme si je n'avais jamais eu cette garce. J'ai passé soixante ans dans le milieu, voilà que mon honneur est sali à cause d'elle. Il y a vingt ans, je les aurais fait décapiter tous les deux ! Maintenant, je la laisse se débrouiller. Qu'elle ne s'attende pas à extorquer un sou de moi ! On verra comment elle s'en tirera. Quand elle aura tâté de cette vie-là, elle choisira entre son père et un voyou de passage ! Ne partez pas, prenez encore un verre !

Les gens acceptèrent par politesse, malgré leur hâte de partir.

Siang-tse transporta ses pénates au magasin de charbon T'ian-chouen.

Les choses allèrent très vite. Tigresse loua un deux-pièces qui donnait sur le nord dans une grande cour, à Mao-kia-wan. Elle fit peindre les murs en blanc et demanda à M. Feng d'écrire le caractère *hi* (« bonheur ») sur des feuilles de papier qu'elle colla un peu partout dans la maison. Ensuite, elle commanda un palanquin garni d'étoiles avec seize instruments de musique. Pour économiser, elle ne prit ni lanternes dorées ni conducteur. Avant le Nouvel An, elle s'était dépêchée de confectionner elle-même une robe de mariée en satin rouge, pour respecter le tabou qui interdisait de toucher à des aiguilles les premiers jours de l'année. Le grand jour fut fixé pour le 6, un jour faste – il n'était donc pas nécessaire de tenir compte des dates de naissances des mariés. Ses préparatifs terminés, elle vint trouver Siang-tse pour lui demander d'acheter de quoi s'habiller de pied en cap.

— Ça n'arrive qu'une fois dans la vie !

L'inconvénient était que Siang-tse ne possédait que cinq yuans !

Tigresse ouvrit de grands yeux.

— Quoi ? Et les trente yuans que je t'ai rendus ?

Siang-tse fut obligé de lui avouer son aventure chez M. Ts'ao.

— Hum ! Bon. J'ai pas le temps de discuter. Agis selon ta conscience. Voilà quinze yuans. Mais gare à toi, si le 6 tu n'es pas bien fringué !

Le 6, Tigresse monta dans son palanquin, sans un mot de son père, sans escorte, sans amis. Seuls les tambours et les cymbales, en cette période de fête, accompagnèrent la marche du palanquin qui, à la porte Si-an, et à la tour Si-se-p'ai-leou, attira la curiosité des gens, tous habillés de neuf, et suscita l'envie des jeunes commis dans leurs boutiques.

Siang-tse, portant une calotte de satin et empêtré dans son habit neuf acheté au pont du Ciel, était visiblement mal à l'aise. Du magasin de charbon qui était tout noir, il déménagea dans un logis entièrement peint en blanc. Le contraste ne manqua pas de le dérouter profondément. Les deux petites pièces étaient meublées avec le lit, la table et les chaises de Tigresse qu'il connaissait bien, mais aussi avec d'autres objets tout neufs : le brasero, la table de cuisine, le plumeau bigarré accroché au mur, etc. Dans ce monde hétéroclite qui semblait symboliser son

existence, partagée entre un passé pénible et un avenir
incertain, il se sentait un objet parmi d'autres, à la fois
neuf et usagé. Et pour peu qu'il cherchât à se mouvoir, il
avait l'impression d'être un lapin en cage. Il osa à peine
regarder Tigresse qui, maquillée et vêtue d'une veste
rouge, le lorgnait sans cesse. Qui était-elle ? Une jeune
fille ? Une femme ? Un homme ? Ou une bête féroce ?
Oui, plutôt une bête féroce qui le dominait et qui, si elle
le voulait, le saisirait et lui sucerait tout son sang.

Le soir de la noce, Siang-tse découvrit que Tigresse
n'était pas enceinte. Elle lui révéla son astuce.

— Avec ce truc, tu m'as suivi comme un agneau ! Je
m'étais attaché un oreiller autour de la taille !

Elle se tint les côtes un bon moment.

— N'en parlons plus, mon gros bêta. En tout cas, tu
n'y perds rien. Pauvre comme tu es, j'ai pourtant remué
ciel et terre pour te suivre. J'attends tes remerciements !

Le lendemain, Siang-tse sortit de bon matin. De nombreuses boutiques étaient encore fermées. Les banderoles qui encadraient les portes – et sur lesquelles étaient
écrites des sentences parallèles – gardaient leur ver-
millon du premier jour, mais les treilles dorées avaient
été déchirées par le vent. Les rues étaient calmes, malgré
les nombreux pousses qui y circulaient déjà. Les tireurs
semblaient avoir tiré de leurs chaussures neuves une
énergie nouvelle. A l'arrière de certains pousses étaient
collés des carrés de papier rouge. Siang-tse enviait ces
tireurs. Eux au moins avaient passé de bonnes fêtes ; lui,
il avait l'impression d'être resté enfermé dans une calebasse. Les autres faisaient consciencieusement leur boulot. Il était le seul à se balader comme un fainéant. Il
n'avait jamais eu l'habitude d'être oisif. S'il voulait faire
quelque chose d'utile, il lui faudrait maintenant arracher
l'accord de Tigresse. Il était tout simplement réduit à
mendier auprès de sa femme ; et quelle femme ! Eh oui,
avec sa carrure et sa force, il n'était là que pour servir

d'appât à cette femelle en veste rouge, ce vampire aux dents de tigre, qui le croquait aussi aisément qu'une chatte croque une souris ! Ce qui lui restait à faire était de prendre le large sans tarder. Ce n'était pas déloyal, puisqu'il avait affaire à une diablesse qui faisait la magicienne avec un oreiller ! Il aurait volontiers déchiré les habits neufs qu'il portait. La sensation d'une saleté qui lui collait à la peau l'écœurait. Vraiment, il eût donné n'importe quoi pour ne plus la voir !

Où aller ? Quand il travaillait, il allait là où on le lui demandait. Pour lors, il ne savait que faire de sa liberté. De la tour Si-se-p'ai-leou, il se dirigea vers le sud ; il sortit par la porte Hiuan-wou : le chemin continuait en ligne droite vers le sud. Il vit un bain public et y entra.

Après être resté longtemps dans l'eau chaude, il sortit de la bassine, transpirant à grosses gouttes. Malgré ce bain, il avait encore la sensation d'avoir au fond du cœur un reste de saleté que toute l'eau du monde n'arriverait pas à laver. Il eut honte de sa nudité et se hâta de se rhabiller.

Dehors, le vent frais le revigora. Les rues étaient plus animées que tout à l'heure. La clarté du ciel faisait rayonner les visages. Siang-tse marchait tristement au hasard : vers le sud, vers l'est, puis à nouveau vers le sud. Il était neuf heures lorsqu'il arriva au pont du Ciel. Les jeunes commis des boutiques, après le petit déjeuner, venaient tous dans ce quartier où la fête du Nouvel An continuait. Partout des stands de forains autour desquels les gens s'agglutinaient et d'où parvenait le son des tambours et des cymbales. Siang-tse n'eut pas le cœur de se mêler à la foule en liesse.

Pourtant, c'était principalement le pont du Ciel qui lui faisait aimer Pékin. Dès qu'il voyait les stands variés et les attroupements de badauds, il était aux anges. Tant de souvenirs agréables lui revenaient à l'esprit. Ici, les clowns, les dresseurs d'ours, les magiciens, les chanteurs de Yang-ko, les conteurs, chacun à sa façon, réussissaient toujours à lui porter la joie, à le faire rire.

Ce jour-là, rien ne put le dérider. Il fuyait la foule sans pouvoir se résoudre à quitter cet endroit si animé et si attachant. Non, il ne quitterait pas le pont du Ciel ; il ne quitterait pas Pékin et... il n'aurait rien de mieux à faire que d'aller rejoindre celle qu'il voulait quitter, pour discuter ferme !

Il rentra chez lui en trombe. Il était onze heures. Tigresse avait fini de préparer le déjeuner : man-t'eou cuits à la vapeur, choux aux boulettes de viande, couenne en gelée et navets confits. Tous les plats étaient déjà disposés sur la table. Seul le chou continuait à mijoter sur le feu, dégageant une odeur délicieuse. Elle ne portait plus sa veste rouge, mais son ensemble de tous les jours. Elle avait agrémenté ses cheveux d'une fleur rouge en velours avec un cœur en papier doré. Elle ne ressemblait pas à une nouvelle mariée, mais plutôt à une épouse d'âge mûr, énergique, experte, un tantinet condescendante. Sa façon de faire la cuisine, d'arranger la maison et cette odeur agréable, cette chaleur même ne laissaient pas de frapper Siang-tse par leur nouveauté. En un mot, il avait un foyer ; ce n'était pas rien.

— Où t'as été ? demanda Tigresse en allant prendre un plat.

— Au bain.

— Une autre fois, on prend la peine de prévenir, hein ? (Et comme Siang-tse restait muet :) T'as perdu ta langue ou quoi ? Faut que je t'apprenne à parler !

Siang-tse se força à grommeler un mot. Que faire d'autre quand on a épousé une mégère ? En attendant, cette mégère lui servit un repas tout chaud qui lui parut bon en effet. Mais il ne dévora pas comme à l'ordinaire. Il ne transpira même pas en mangeant.

Après le repas, il s'étendit sur le lit, en croisant les mains sous sa tête.

— Holà ! Grouille-toi d'essuyer ça ! Je ne suis pas ta bonne, cria-t-elle de l'autre pièce.

Il se leva avec effort pour l'aider. Au garage, il l'avait souvent aidée de son propre gré. Maintenant, plus il la regardait, plus il la trouvait haïssable. Il n'osa pas procéder trop brusquement et se contenta de ruminer sa colère et de tourner en rond dans la petite pièce.

La vaisselle terminée, elle jeta un coup d'œil autour d'elle et soupira d'aise. Puis elle dit en souriant :

— Alors ?

— Quoi ?

Siang-tse s'accroupit devant le brasero, les mains tendues vers le feu. Il n'avait pas froid aux mains, mais il ne savait où les mettre. Ces deux pièces servaient de cadre à un foyer ; mais pour le moment, il ne voyait pas exactement où était sa place.

— Tu m'emmènes en promenade ? Au monastère des Nuages blancs ? Non, il est un peu tard, on va plutôt flâner dans les rues !

Elle entendait jouir à fond de sa « lune de miel ». Son mariage n'avait pas été célébré dans les normes. Tant mieux. Elle n'aurait pas à observer les règles. Elle pourrait ainsi rester plus longtemps avec son mari et s'amuser davantage. Quand elle était jeune fille, elle n'avait manqué de rien, sauf d'un homme pour la dorloter. Elle comptait bien se rattraper de ce côté-là. Elle rêvait de déambuler dans la rue ou d'assister à des fêtes populaires, suspendue au bras de Siang-tse.

Ce dernier ne voulait point sortir. Premièrement, c'était honteux en soi de traîner une femme pour courir les rues. Deuxièmement, une femme, qu'il avait épousée dans des conditions que personne n'ignorait, n'était guère « sortable ». Tous les tireurs de l'ouest de la ville le connaissaient. Il entendait d'ici leurs ricanements.

— Parlons un peu, veux-tu ?

Il restait accroupi.

— De quoi ?

Elle s'approcha du brasero.

Il posa ses mains sur ses genoux, les yeux fixés sur la flamme. Après un long silence, il dit enfin :

— Je ne peux pas rester les bras ballants éternellement.

— Esclave !

Elle sourit.

— Un jour sans ton pousse, et ça te démange déjà ? Regarde le vieux : il s'est amusé toute sa vie et il a fini patron de garage. Il n'a jamais tiré ; c'est sa cervelle qu'il fait marcher. Tu ferais bien d'en prendre de la graine ! On va s'amuser quelques jours. Pourquoi te démener comme un forcené ? Je ne voudrais pas me disputer avec toi, mais tu me feras le plaisir de ne pas me contrarier.

— Parlons un peu.

Siang-tse n'en démordait pas. S'il ne mettait pas les bouts, il voulait au moins un travail qui lui assurât un minimum d'indépendance. Il ne se laisserait pas ballotter comme un gosse sur une balançoire.

— Alors, je t'écoute !

Elle tira vers elle un tabouret et s'assit.

— Combien t'as ? demanda-t-il.

— Qu'est-ce que je disais ? Je l'attendais, celle-là ! C'est pas moi que tu épouses ; c'est mon argent, hein ?

A ces mots, Siang-tse vit rouge. Le vieux Liou, les tireurs du garage, tous avaient insinué qu'il s'entichait de Tigresse par cupidité. A présent, elle-même le pensait. Il avait perdu son pousse, son argent et il lui fallait de surcroît ramper sous les écus de sa femme ! Une envie irrésistible le prit de saisir le cou de cette femelle et serrer, serrer... jusqu'à ce qu'elle montrât le blanc de l'œil ! Et après, il se trancherait la gorge. Les autres n'étaient pas des êtres humains, ils méritaient la mort ; lui non plus n'était pas un homme, il devait mourir aussi. La grande lessive !

Ce matin, il n'aurait pas dû revenir. Il se leva pour sortir.

Devant son air furieux, elle se radoucit.

— Ne te fâche pas. Bon. J'avais cinq cents yuans et des poussières. Le palanquin, le loyer, la peinture, les vêtements m'ont coûté environ cent yuans. Il me reste quelque quatre cents yuans. Ne t'inquiète pas. On pourra bien en grignoter un bout pour faire les fous ensemble. T'as pas assez transpiré ? Moi qui suis vieille fille depuis si longtemps, je voudrais bien rattraper le temps perdu. Quand on aura tout dépensé, on ira chercher le vieux. Je ne l'aurais pas quitté, s'il n'y avait pas eu de dispute. Un père, c'est tout de même un père. Il n'a qu'une fille et il t'aime au fond. On va être gentils tout plein et lui demander pardon. Tout s'arrangera. Et ce sera du tonnerre ! Il a de l'argent, nous en hériterons, comme de bien entendu. Pourquoi t'échiner à servir de bête de somme ? Dans deux jours, tu iras le voir. Probable qu'il t'enverra promener. Tu reviendras à la charge. Quand il aura sauvé la face, il changera d'avis. Après, ce sera mon tour d'y aller. Si on sait lui caresser le menton, on pourra retourner au garage. Là, on sera les maîtres ; personne n'osera nous regarder de travers. Si on se laisse pourrir ici, on sera toujours pareil, un couple de gueux !

Siang-tse n'avait pas prévu ce coup-là. Depuis la visite de Tigresse chez les Ts'ao, il croyait qu'après son mariage, il achèterait un pousse et continuerait son métier. Bien sûr, c'était pas très beau de se servir de l'argent de sa femme : mais ses relations avec Tigresse étaient tout de même exceptionnelles. Les projets de Tigresse ne manquaient peut-être pas de sagesse ; seulement ils n'étaient pas de son goût. Réflexion faite, il se disait : ton argent à toi, on peut te le chiper sans que tu puisses t'en plaindre ; l'argent des autres, tu peux le prendre, à condition de te vendre, de bien vouloir être le jouet de ta femme ou l'esclave de ton beau-père. T'es pas un homme, mais un oiseau ; quand tu cherches ta pitance, tu risques de tomber dans un filet. Si tu acceptes d'être nourri, il faut que tu restes sagement dans ta cage ; on te demande seulement de chanter ; on peut même te revendre !

Il refusa d'aller voir Quatrième Seigneur. Il avait lien charnel avec Tigresse, mais aucun rapport avec le vieillard qui le méprisait. Il s'était laissé avoir par la fille, il ne pouvait, sous aucun prétexte, solliciter une aide du côté du père. Pour éviter un orage, il se contenta de dire :

— Je ne veux pas passer mes journées à bayer aux corneilles.

— Esclave ! répéta-t-elle en gesticulant. Alors, fais du commerce !

— Je n'en ai jamais fait. Je perdrais ! Je sais tirer et je veux tirer.

Siang-tse avait les nerfs à fleur de peau.

— Fourre-toi ça dans le crâne, une fois pour toutes : tu ne tireras pas ! Je ne veux pas de ta sueur puante sur ma couche ! T'as tes idées, moi j'ai les miennes. On verra qui est le plus fort. Tu m'as épousée sans dépenser un sou. Alors, qui c'est qui commande ici ?

16

Le 15 du premier mois, jour de la fête des lanternes, Siang-tse était à bout de patience.

Tigresse, elle, ne s'ennuyait pas. Elle s'affairait à préparer des raviolis et des boulettes de farine pour la fête. Dans la journée, elle se rendit aux temples pour assister à des festivités et occupa sa soirée à se promener dans les rues ornées de lanternes. Elle ne laissait à Siang-tse aucune initiative, mais elle ne négligeait jamais sa cuisine. Elle s'ingéniait à lui préparer de petits plats aussi exquis que variés.

Dans cette cour misérable habitaient une huitaine de familles. La plupart n'occupaient qu'une pièce. Ils s'entassaient à sept ou huit dans un sombre réduit. Ces pauvres gens faisaient toutes sortes de métiers : tireurs de pousse, colporteurs, domestiques, etc. Ils trimaient à longueur d'année pour assurer leur bol de riz. Leurs enfants ne chômaient pas non plus ; ils passaient la matinée à mendier et l'après-midi à ramasser des morceaux de charbon déjà utilisés. Il n'y avait guère que les tout-petits qui couraient dans la cour, les fesses à l'air et rouges de froid. La cour n'était jamais nettoyée ; on y déversait cendres, poussières et eau sale. En hiver, elle était parsemée de grosses plaques de glace sur lesquelles les enfants s'amusaient à patiner. Dans ces bas-fonds, les plus à plaindre étaient les vieillards et les femmes. Les vieillards attendaient toute la journée, couchés sur leur kang froid, leur bol de riz quotidien. Souvent, les jeunes rentraient les mains vides ; au lieu de consoler leurs pauvres parents, ils déchargeaient sur eux, à la moindre occasion, leur colère refoulée.

Les femmes avaient un sort moins enviable encore. Elles devaient faire face à tout : aux plaintes des vieillards, aux maladies des enfants, à la violence de leur mari. Quand elles étaient enceintes, elles ne cessaient pas de travailler et ne se nourrissaient que de bouillons de riz avec des patates. Elles mendiaient aussi. Parfois, elles rapportaient du linge à laver ou à rapiécer la nuit, sous une lampe à pétrole, lorsque tout le monde était enfin endormi. Le vent qui entrait par les fentes des murs de ces pièces exiguës enlevait toute chaleur. Fatiguées, mal nourries – elles donnaient d'abord à manger aux vieux et aux petits – elles étaient la plupart du temps malades. A trente ans, elles perdaient leurs cheveux. Elles ne tardaient pas à mourir. Les enterrements dépendaient de la générosité des gens charitables. Les filles, à seize ou dix-sept ans, n'avaient toujours pas de pantalons à porter. Enveloppées dans un bout de tissu troué, elles étaient obligées de rester à la maison – prison sans barreaux –, d'aider leurs mères dans leurs travaux. Quand elles avaient besoin d'aller au cabinet, elles attendaient qu'il n'y eût personne dans la cour pour y courir. Elles passaient ainsi des hivers entiers sans voir le soleil ni le ciel bleu. Les filles laides continuaient à porter le fardeau que leur laissaient leurs mères ; celles qui ne se présentaient pas trop mal savaient qu'elles seraient, tôt ou tard, vendues.

Au milieu de ces pauvres gens, Tigresse seule pouvait se permettre de vivre sans soucis matériels et de se promener à loisir. Elle entrait et sortait avec un port hautain pour se griser du sentiment de sa supériorité et aussi pour empêcher les coolies de l'embêter. Il ne passait, devant la cour, que des marchands ambulants de dernière classe. Ils vendaient des choux gelés, des haricots au jus, des lambeaux de viande récupérés sur les os, ou de la viande de cheval. Depuis l'arrivée de Tigresse, les marchands « de luxe », ceux qui vendaient des têtes de mouton, du poisson fumé, des galettes, des pâtes de soja frites, s'attardaient aussi devant la porte en criant leurs boniments. Un grand bol chaud et bien rempli à la main, elle rentrait dans son logis la tête haute, pendant que les enfants, leurs maigres doigts dans la bouche, la regardaient passer comme une reine.

Siang-tse n'approuvait guère cette manière de vivre. D'abord, il savait ce que c'était que la misère ; ça lui faisait mal au cœur de voir l'argent disparaître dans la bonne chère. Ensuite, il croyait avoir percé à jour l'intention profonde de Tigresse : elle lui interdisait d'aller tirer, tout en lui servant de bons repas chaque jour ; autant dire qu'elle le traitait comme une vache qu'on engraisse pour en tirer du bon lait ! Il devenait vraiment sa chose ! Il avait souvent remarqué dans la rue des chiennes maigres courir après des chiens robustes. Siang-tse commença non seulement à détester cette vie, mais aussi à s'inquiéter sérieusement pour lui-même. L'essentiel, pour un jeune gaillard qui vivait de sa force, était de garder sa santé. S'il continuait ainsi, il aurait toujours une haute stature, mais plus rien dans les muscles. Cette pensée le fit frémir. Il décida de se remettre au travail, de courir toute la journée et de ne rentrer le soir que pour dormir. Comme il ne mangerait pas à la maison, il ne devrait rien à Tigresse et pourrait se dispenser de lui faire plaisir au lit. Cette fois, il ne céderait pas. Si elle consentait à acheter un pousse, tant mieux ; sinon, il en louerait un lui-même.

Le 17, il loua, à l'insu de Tigresse, un pousse « pour la journée ». Au bout de deux courses assez longues, il avait des jambes de bois et des genoux en flanelle, ce qui ne lui était jamais arrivé. Il en savait la cause et essaya de se consoler. Ça irait mieux avec un peu d'exercice.

Après chaque course, la sueur dégoulinait de ses oreilles et de son nez. Il était obligé de s'étirer et de respirer la bouche ouverte. Au moment du paiement, ses mains tremblaient si fort qu'elles parvenaient à peine à prendre la monnaie qu'on lui tendait.

Les jours s'allongeaient. Après deux ou trois autres courses, il constata qu'il n'était que cinq heures. Il rendit son pousse et s'attarda dans une maison de thé. Ayant bu deux tasses, il eut faim et décida de manger dehors avant de rentrer. Avec une douzaine de boulettes de viande et un bol de bouillon de riz dans l'estomac, il rota tout le long du chemin du retour. Il savait qu'une bonne réserve d'explosifs l'attendait à la maison. Il marcha au-devant de l'orage avec calme, résolu à ne pas répondre aux invectives de Tigresse. Il dormirait la tête enfouie sous les draps et sortirait travailler le lendemain.

Tigresse l'attendait, assise dans la pièce de devant. Elle lui fit un sale œil, quand elle le vit entrer. Pour diminuer la tension, Siang-tse avait projeté de la saluer, bien que ce ne fût pas dans ses manières. Finalement, il fonça dans la chambre à coucher tête baissée. Elle ne broncha pas. La maison était silencieuse comme une caverne. Dehors, dans la cour comme dans la rue, on put entendre des bruits de toux, de conversations et de pleurs d'enfants qui résonnèrent, à la fois lointains et distincts, comme dans une montagne déserte.

Ils se couchèrent l'un près de l'autre, muets comme un couple de grosses tortues. Après un premier somme, Tigresse s'enhardit à prendre la parole sur un ton de reproche :

— Qu'est-ce que t'as fait ? Tu m'as laissée tomber toute une journée !

— J'ai travaillé ! marmonna-t-il d'une voix rauque.

— T'es obsédé, ma parole ! Esclave ! Je t'avais préparé de bonnes choses ; tu as préféré courir dehors comme un chien errant. Faudrait pas charrier. Moi, je tiens de mon père ; je suis capable de tout. Si tu sors demain, je me pendrai pour t'emmerder. Na !

— Je ne peux pas rester les bras croisés à ne rien faire.

— Va chercher le vieux.

— Non !

— Tête de bourrique !

Siang-tse se fâcha.

— Je travaillerai. J'achèterai un pousse. Si on m'en empêche, je m'en vais pour de bon !

— Hm...

Ce « hm » exprimait l'ironie méprisante de Tigresse, mais aussi une certaine hésitation. Elle savait que Siang-tse était un gars honnête, entier dans ses sentiments. Un type de sa trempe ne plaisantait pas. Elle s'était donné du mal pour le posséder, il ne fallait pas le perdre à la légère. Vu son âge et son physique, elle avait eu une chance inouïe de s'emparer de ce trésor, un modèle d'honnêteté, de santé et d'ardeur à la tâche. Dans la vie, il faut parfois se montrer conciliant.

— Je sais que t'as ta dignité. Mais dis-toi bien que tu es tout pour moi. Si tu ne veux pas aller voir le vieux, je le ferai. Je suis sa fille, qu'est-ce que ça peut me foutre de perdre la face devant lui ?

— Même si le vieux nous prend chez lui, je ne lâcherai pas le métier.

Tigresse resta longtemps songeuse. Elle ne s'attendait pas à une telle lucidité de la part de Siang-tse. Il s'exprimait avec simplicité mais il lui signifiait assez clairement sa volonté de se dégager de sa coupe. Elle aurait à imaginer d'autres ruses pour mater ce gros âne qui, en fait, n'était pas si bête. Elle devait alterner autorité et patelinage pour ne pas le laisser filer entre ses doigts.

— Bon. Si tu veux travailler, je n'y peux rien. Au moins, tu jures de ne pas t'embaucher chez un particulier et de rentrer tous les soirs ? Tu vois, un jour sans toi, ça me met déjà les nerfs en boule.

Comme convenu, Siang-tse continua à travailler. Tigresse, seule à la maison, songea plusieurs fois à aller voir son père. Toutefois, elle n'arrivait pas à s'y résoudre. Par amour-propre, elle se refusait à s'avouer vaincue devant son père qui l'avait rejetée ignominieusement ; pour son bien-être, par contre, la visite s'imposait. Si le vieux oubliait ses griefs, Siang-tse retournerait au garage, non pas pour tirer, mais pour partager avec elle la succession du vieux. Si le vieux ne voulait rien entendre, ce serait la fin de tout ; car elle serait humiliée et elle resterait la femme d'un tireur jusqu'à sa mort. Il n'y aurait plus de différence entre elle et les autres femmes dans la cour.

Elle se mit à broyer du noir et en vint à regretter son mariage avec Siang-tse. Sans l'aide de son père, Siang-tse ne serait jamais autre chose que ce qu'il était. Ne ferait-elle pas mieux de larguer les amarres à temps et de réintégrer le bercail ? Pouvait-elle tout abandonner pour cet homme ? Mais il y avait le bonheur ! Le bonheur avec Siang-tse, les mots lui manquaient pour le décrire. Assise sur le lit, elle se perdait dans le souvenir de ces jours ineffables après le mariage. Rien de précis dans ce bonheur, mais un ensemble difficile à analyser qui lui donnait l'impression d'être une fleur, une grosse pivoine épanouie sous un soleil ardent. Non, elle ne le quitterait pas, elle ne pourrait jamais le quitter, dût-il être mendiant. Puisque ses voisines arrivaient à porter leur fardeau, elle le pouvait aussi. Elle renonça à rendre visite à son père.

Siang-tse, depuis son départ du garage Jen-ho, évitait le boulevard de la porte Si-an. L'ouest de la ville était le domaine attitré des tireurs du garage. Aussi se dirigeait-il toujours vers l'est. Ce jour-là, après avoir rendu son pousse, il fit un crochet par le garage. Les paroles de Tigresse bourdonnaient encore dans sa tête. Il voulait voir s'il aurait le courage d'y revenir au cas où le père et la fille se réconcilieraient. Il passa à distance respectueuse du garage, et de peur d'être reconnu, il rabattit son chapeau sur ses yeux. Quand il vit la lumière au-dessus de la porte, il eut un serrement de cœur. Des scènes se déroulèrent comme un film devant ses yeux : les premiers jours de son arrivée au garage, sa première nuit avec Tigresse, la soirée orageuse de l'anniversaire de Quatrième Seigneur... En surimpression apparaissaient quelques images fugitives : la colline de l'Ouest, les chameaux, la maison des Ts'ao, le détective... D'abord indifférent, il se troubla lorsqu'il prit conscience que ces images qui commençaient à se brouiller représentaient, en fait, son destin. Depuis son entrée au garage, combien de temps s'était-il écoulé ? Quel âge avait-il au juste ? Il ne le savait plus très bien. Il savait seulement qu'il avait beaucoup vieilli.

Autrefois, quelle force et quelle espérance le soute-
naient ! Et maintenant, quels soucis l'accablaient !

Contemplant le garage du trottoir opposé, il fut frappé
par un détail : les quatre gros caractères d'or sous la
lampe avaient changé. Siang-tse était analphabète, mais
il se rappelait nettement le premier caractère. C'étaient
deux bâtons qui se supportaient sans se croiser. Il avait
compris qu'il s'agissait du mot *jen* qui signifie homme.
Or, le caractère lui semblait maintenant beaucoup plus
compliqué ; ce n'était plus le même. D'autre part, les
deux chambres – qu'il n'oublierait jamais – n'étaient pas
éclairées.

Tout en marchant, il essaya de deviner ce qu'il était
advenu du garage. Quatrième Seigneur l'aurait-il
vendu ? Il se promit de n'en rien dire encore à Tigresse
en rentrant. Celle-ci était en train de croquer des pépins
de pastèque grillés pour tuer le temps.

— Encore si tard !

Son expression n'avait rien d'engageant.

— Ecoute, c'est pas possible de continuer comme ça !
Quand tu sors, je ne te vois plus de la journée. Moi, je
n'ose pas bouger d'un pas. Y'a que du pauvre monde ici,
on nous piquerait tout. Et puis, personne à qui parler. Je
ne suis pas un bout de bois, moi ! Ça ne peut pas continuer comme ça !

Siang-tse ne répondit pas.

— Parle. Tu le fais exprès pour me mettre en rogne ?
T'as pas de langue ? T'as pas de langue ?

Les mots jaillissaient de sa bouche, comme des bou-
lets de canon.

Siang-tse ne dit toujours rien.

— Voilà comment on va s'y prendre, proposa-t-elle
d'une voix rageuse et impuissante. On va acheter deux
pousses et les louer. On vivra de l'argent de la location.
Ça te va ? Dis, ça te va ?

— Deux pousses, ça ne fait que trois maos par jour. On en louera un, et je tirerai l'autre ; ça renflouera les revenus.

— Autant ne rien faire alors. Je ne t'aurai pas plus souvent à côté de moi !

— Ou bien...

En matière de pousses, Siang-tse ne manquait jamais d'idées.

— On en louera un pour la journée. Le second, je m'en servirai pendant une demi-journée ; l'autre demi-journée, on le louera aussi. Si je commence le matin, je serai de retour à trois heures. Si je sors l'après-midi, je rentrerai le soir. Ça ira !

Elle approuva par un signe de tête.

— Je vais réfléchir. Si je ne trouve pas mieux, on s'en accommodera.

Siang-tse fut heureux de l'attitude compréhensive de Tigresse. Si son projet se réalisait, il tirerait à nouveau son pousse à lui, même si celui-ci était acheté avec l'argent de sa femme. Il pourrait recommencer à faire des épargnes pour s'offrir un autre pousse. En fin de compte, il n'y avait pas que des inconvénients avec Tigresse. Il ne put s'empêcher de lui adresser un sourire, un sourire naïf, venant du fond du cœur. Il avait l'impression de se débarrasser, d'un coup, de tous ses soucis, aussi simplement qu'il aurait changé de chemise.

17

En assemblant les morceaux du puzzle, Siang-tse sut ce qui était arrivé au garage. Quatrième Seigneur avait vendu une partie de ses pousses et cédé le reste à un autre patron de garage, très connu dans l'ouest de la ville. Le vieillard, trop âgé et privé de l'aide de sa fille, n'était plus en mesure de continuer l'entreprise. Avec l'argent de la vente, il avait l'intention de mener ailleurs une vie sans soucis. Siang-tse le comprenait fort bien ; toutefois, il ne réussit pas à savoir où il était parti.

Il ne s'en émut pas outre mesure. Il n'avait jamais compté que sur ses propres forces pour nourrir sa famille. Il alla jusqu'à présenter l'histoire à Tigresse comme un fait divers qui ne le concernait pas.

Elle en reçut un choc des plus violents. En un éclair, elle vit tout son avenir. Un avenir sombre et sans issue. Elle resterait l'épouse d'un tireur, définitivement clouée à cette cour. Elle s'était imaginé que son père épouserait une concubine ; et son départ était ce qu'elle attendait le moins. Tant que le garage existait et que son père ne pouvait se passer d'elle, une réconciliation était possible. Une belle-mère, à la rigueur, ne l'aurait pas empêchée de s'attribuer sa part de l'héritage. Qui eût cru qu'il vendrait ses biens et s'enfuirait avec l'argent ?

Tigresse regarda les plaques de glace sur les pavés de la cour, le cœur serré, prête à fondre en larmes. Ces linges rapiécés tendus çà et là, cette odeur trouble et tiède, ces soupirs de vieillards et ces pleurs d'enfants resteraient désormais son univers. En hiver, les gens se cachaient dans leur maison, et les détritus s'enrobaient de glace. Avec les beaux jours, les gens sortaient plus souvent et les objets se révélaient dans toute leur laideur. Les murs en briques cassées qui s'effritaient semblaient n'attendre qu'une goutte de pluie pour s'effondrer. Ici le printemps était plus hideux encore que l'hiver. Les revenus de Siang-tse et l'argent de Tigresse ne constituaient pas un trésor inépuisable.

Elle se rendit à Nan-yuan chez sa tante pour prendre des nouvelles de son père. Celui-ci était passé chez la vieille dame vers le 12 pour la remercier de son cadeau d'anniversaire et pour l'informer qu'il comptait séjourner à Tien-tsin ou à Chang-haï. Il disait qu'il n'était jamais sorti de la capitale ; ce qui n'était pas précisément un titre de gloire pour un homme de sa trempe. Pendant qu'il tenait encore sur ses jambes, il n'était pas fâché de partir à la découverte du monde. Et surtout, depuis que sa fille l'avait déshonoré, il ne pouvait plus vivre en ville au milieu de ses connaissances. La tante conclut :

— Peut-être le vieux est-il parti ? Peut-être se cache-t-il simplement quelque part ? Qui sait ?

Rentrée à la maison, Tigresse se jeta sur le lit et se mit à pleurer. Elle pleurait sans retenue et sans feinte ; ses yeux étaient rouges et gonflés. Essuyant ses larmes, elle dit à Siang-tse :

— Tête de mule. T'as gagné ! Moi, je suis mal tombée. Une chèvre doit suivre son bouc. Je n'insiste plus. Voici cent yuans ; va t'acheter un pousse !

Siang-tse ne se fit pas prier. Avec son pousse à lui, il pouvait gagner six à sept maos par jour : de quoi se remplir l'estomac. Il était soulagé et heureux. Tous ces sacrifices ne tendaient-ils pas justement à l'achat d'un pousse ? Maintenant qu'il touchait au but, il n'avait vraiment pas à se plaindre. Ce serait pénible de nourrir deux personnes. Il ne pourrait pas envisager de faire d'économies. Avec quoi achèterait-il un autre pousse lorsque le premier serait abîmé ? « A quoi bon s'inquiéter à l'avance », songea-t-il. « Il faut se contenter de ce qu'on a pour le moment ! »

Tch'iang-tse le Second, un locataire de la cour, cherchait justement à vendre son pousse. L'été précédent, il avait déjà vendu sa fille de dix-neuf ans, Petite Fou-tse, à un militaire pour deux cents yuans qui lui avaient permis de vivre grassement pendant quelque temps. Il récupéra ce qu'il avait placé au mont-de-piété, et fit faire des vêtements pour toute la famille. Sa femme était la plus laide parmi les habitantes de la cour. De petite taille, le front fuyant, une mâchoire de cheval, les cheveux rares, des dents que ses lèvres ne parvenaient pas à recouvrir et le visage criblé de taches, elle n'offrait vraiment pas une image très attrayante. Après le départ de sa fille, elle avait, pour comble de malheur, les paupières rouges à force de pleurer. Son mari était violent. La vente de sa fille lui pesait sur la conscience. Il s'adonna à la boisson. Ivre et miné de chagrin, il cherchait sans cesse querelle aux autres. Sa femme, bien qu'elle portât une robe bleue toute neuve, et qu'elle mangeât à sa faim, ne vivait pas plus heureuse ; elle recevait deux fois plus de coups qu'auparavant. Tch'iang-tse le Second avait dépassé la quarantaine. Il avait abandonné le métier de tireur pour celui d'épicier ambulant. Il promenait dans son gros panier un bazar des plus hétéroclites : fruits, légumes, cacahuètes, tabac... Après deux mois de commerce, un compte rapide lui signala un gros déficit. Tirer un pousse et vendre des marchandises étaient deux métiers différents : le premier consistait simplement à foncer, mais le second exigeait que l'on sût embobiner les clients. Par ailleurs, il ne distinguait pas les bons clients à qui il pouvait faire crédit de ceux qui ne jugeaient pas nécessaire de le rembourser. Souffrant de perdre chaque jour davantage, il trouvait son unique remède dans le vin. Souvent en état d'ébriété, il se disputait avec les agents de police et battait sa femme et ses enfants. A peine réveillé de son ivresse, il était tenaillé par le remords. Il se trouvait odieux d'avoir vendu sa fille, perdu son argent et battu les siens. Il ne lui restait plus alors qu'à dormir jusqu'au soir et à enfouir ses tourments dans le rêve.

Il décida de reprendre son ancienne profession. Avec l'argent qui lui restait, il acheta un pousse. Cet homme, si minable lors de ses beuveries, avait un souci d'élégance, tant qu'il était lucide. Nanti d'un costume neuf et d'un pousse non moins neuf, il se considérait comme un tireur de la classe supérieure. Il ne buvait que du thé de luxe et ne tirait que des clients élégants. Il pouvait rester longtemps dans des stations de pousses à bavarder, sans s'occuper de chercher des clients. On le voyait partout, vêtu d'une veste et d'un pantalon blancs, tapoter son pousse étincelant avec une serviette bleue d'une propreté irréprochable, frapper le sol de ses chaussures de toile à semelle blanche ; ou attendre, souriant et les yeux modestement baissés, les admirateurs. S'il en venait, il sautait sur l'occasion pour se lancer dans une conversation sans fin. Il pouvait passer ainsi un ou deux jours sans travailler. Parfois, il tombait sur une aubaine, une course intéressante. Malheureusement, l'arrière-boutique ne correspondait pas à la devanture. Les jambes lui manquaient pour courir vite et loin. Nouveau sujet de tourment, et le voilà reparti dans ses lamentations et dans la boisson. A la fin, ayant dilapidé tout son argent, il se retrouva les poches vides entre les brancards de son pousse.

On était aux environs du premier jour de l'hiver. Tch'iang-tse le Second, ivre, rentra chez lui. Ses deux fils – âgé l'un de onze ans, l'autre de treize – tentèrent, comme d'habitude, de sortir pour l'éviter. Il se fâcha et leur donna à chacun un coup de pied. Sa femme protesta. Il se précipita alors sur elle et lui flanqua un coup de pied dans le bas-ventre. Elle gisait par terre sans un cri. Les deux fils, révoltés, se lancèrent à l'attaque du père, armés l'un d'une pelle à charbon, l'autre d'un rouleau à pâtisserie. La pauvre femme étendue sur le sol fut piétinée à plusieurs reprises au cours de la bagarre. Les voisins arrivèrent en renfort pour immobiliser le père sur le lit, tandis que les deux fils, tenant leur mère dans leurs bras, pleuraient à chaudes larmes. Elle reprit conscience, mais dut garder le lit. Le 3 du dernier mois de l'année, elle rendit le dernier soupir. Elle portait la grande robe bleue qu'elle s'était payée avec l'argent de la vente de sa fille. Les beaux-parents du coupable voulurent intenter un procès. Ils y renoncèrent après des démarches de conciliation de leurs amis. Tch'iang-tse le Second promit d'enterrer sa femme convenablement et donna aux beaux-parents quinze yuans. Il mit en gage son pousse pour soixante yuans. Après le Nouvel An, il songea à le vendre, sachant que lui-même n'aurait plus les moyens de le récupérer. Dans ses moments d'ivresse, il envisageait même la vente d'un de ses fils ; mais qui en voudrait ? Il fit des démarches auprès du militaire à qui il avait vendu sa fille, en vain.

Comme il connaissait l'histoire de ce pousse, Siangtse n'était pas très chaud pour l'acheter. Des pousses à vendre, on en trouvait partout ; alors pourquoi précisément celui-ci, acheté grâce à la vente d'une fille et vendu à cause de la mort d'une femme ! Tigresse, elle, ne s'embarrassait nullement de ces considérations. Pour elle, l'essentiel était le prix. Elle savait que tout le monde avait besoin d'argent après le Nouvel An, et Tch'iang-tse le Second en particulier. Elle ne paierait pas plus de quatre-vingts yuans pour avoir son pousse. D'autant plus que l'engin était encore en très bon état. Il y avait six mois seulement qu'il avait été acheté : les courroies en cuir avaient à peine déteint. Et c'était une fabrication de la fameuse maison Ta-tch'eng ! Elle alla elle-même voir le pousse, discuta le prix et paya. Force fut à Siang-tse de s'en servir. Il n'avait pas voix au chapitre ; l'argent ne lui appartenait pas. Le pousse était en effet solide ; mais certains détails continuaient à le tracasser : par exemple, ces lanières blanches qui striaient le coffre noir du pousse. Tch'iang-tse le Second avait trouvé ce constraste entre le noir et le blanc du dernier chic ; Siang-tse, lui, pensait que cela ressemblait plutôt à un corbillard. Il aurait souhaité changer la couleur du siège en brun ou en beige. Il se garda d'en faire part à Tigresse de peur de s'attirer les foudres de son courroux.

Malgré son appréhension, tout marcha à merveille. Il faisait de plus en plus doux. On avait envie de passer directement de la veste ouatée à la veste non doublée. Le printemps à Pékin ne dure pas longtemps. Les journées traînaient en longueur. Les gens se sentaient las et s'en impatientaient. Siang-tse sortait dès l'aube ; généralement, il estimait avoir assez travaillé vers quatre ou cinq heures de l'après-midi. Le soleil était encore haut. Il n'avait plus envie de courir, sans avoir cependant le courage de rentrer. Il continuait à errer dans les rues jusqu'au soir.

A la maison, Tigresse souffrait encore davantage du désœuvrement et de la solitude, à cause de la longueur des journées. L'hiver, elle pouvait au moins se chauffer près du brasero, en écoutant le vent souffler au-dehors. La rigueur du temps constituait une raison valable de ne pas sortir. Maintenant qu'on ne se chauffait plus et que le brasero était dehors sous l'auvent, elle ne savait plus à quoi se raccrocher. La saleté et la puanteur envahissaient la cour ; on n'y voyait pas le moindre brin d'herbe. Obsédée par la crainte d'être volée, elle n'osait pas s'absenter trop longtemps. Elle faisait toujours rapidement ses courses ; puis elle tournait en rond dans sa chambre, pareille à une abeille emprisonnée qui aspire à s'ébattre dans les rayons du soleil. Elle ne se liait pas avec ses voisines dont les sempiternelles histoires mesquines ne l'intéressaient pas du tout, elle qui avait toujours vécu libre et sans souci. Les autres se plaignaient des malheurs que la vie leur infligeait ; chaque détail les faisait pleurer. Tigresse, elle, n'avait pas de larmes à verser. Sa rogne provenait d'une sorte d'insatisfaction envers la vie ; elle avait plutôt tendance à vouloir engueuler quelqu'un pour se défouler. Bref, elle n'avait aucun point commun avec les autres et aucune raison de les fréquenter.

En avril, elle trouva enfin une compagne. Petite Fou-tse, la fille de Tch'iang-tse le Second, était de retour à la maison. Son homme était un militaire, qui fondait un foyer provisoire partout où il allait. Pour cent ou deux cents yuans, il achetait une jeune fille, une planche de grandes dimensions en guise de lit conjugal, et deux chaises ; il n'en demandait pas plus pour être heureux. Quand le régiment était transféré ailleurs, il plantait là femme et planche, purement et simplement. D'après ses calculs, c'était rentable. Prendre à cent ou deux cents yuans, pour six mois ou un an, une femme qui lui faisait la tambouille et la lessive, ça ne revenait pas plus cher qu'une bonne qui lui coûterait une dizaine de yuans par mois. Sans compter que la pucelle en question partageait sa couche et qu'il ne risquait pas d'attraper une maladie. Si elle était gentille, il lui faisait tailler une robe à fleurs à un yuan ; sinon, il la gardait à la maison. Au moment de partir, il abandonnait tout sans regret. A l'autre de régler le loyer qui restait à payer et qui correspondait en général au prix de la planche et des deux chaises !

Petite Fou-tse vendit la planche, paya le loyer et revint à la maison, dotée d'une robe à fleurs et d'une paire de boucles d'oreilles en argent.

Tch'iang-tse le Second ne reçut sa fille ni bien ni mal. C'était une bouche de plus à nourrir, mais en voyant la joie des deux garçons de retrouver leur sœur, il ne dit rien. Il supputa qu'après tout, une femme à la maison serait de quelque utilité en ce qui concernait la cuisine et le linge. On se débrouillerait pour vivre au jour le jour.

Petite Fou-tse n'était pas laide du tout. Avant son « mariage » avec le militaire, elle était petite et plutôt maigre ; mais elle avait grossi, et même grandi. Avec sa figure ronde et ses traits réguliers, sans être particulièrement séduisante, elle respirait la santé. Sa lèvre supérieure courte découvrait une rangée impeccable de dents blanches, pour peu qu'elle eût envie de rire ou de se fâcher. Le militaire aimait justement ses dents qui lui donnaient un air naïf, coquet. Comme beaucoup de filles pauvres et point trop laides, elle pouvait être comparée à une fleur ; son parfum et ses couleurs lui permettaient seulement d'être vendue plus vite sur le marché.

Tigresse, dans son isolement, s'était liée d'amitié avec Petite Fou-tse. Elle était bien faite ; elle avait une robe à fleurs ; et surtout, elle avait vécu avec un officier, ce qui lui conférait un certain prestige aux yeux de Tigresse. Comme il arrive fréquemment chez les femmes, en quelques jours, elles devinrent des amies inséparables. Tigresse aimait manger entre les repas. Chaque fois qu'elle rapportait des petits mets qu'elle avait achetés aux marchands ambulants, elle ne manquait pas d'appeler Petite Fou-tse. Dans leurs conversations, toujours très gaies, la jeune femme racontait, en montrant ses dents blanches, des histoires tout à fait inconnues de Tigresse. Elle n'avait pas mené une vie très confortable avec l'officier. Mais quand il était content, il l'emmenait au restaurant ou au théâtre. Elle avait donc tout de même vécu des moments heureux qui faisaient envie à Tigresse. Il y avait aussi des choses dont elle avait honte de parler ; elle les considérait comme des humiliations, alors que Tigresse n'y voyait que la recherche légitime de la jouissance physique. Sur les prières de Tigresse, elle consentait à en révéler quelques bribes. Elle avait vu, entre autres, beaucoup de tableaux pornographiques dont elle faisait la description ; cela excitait fortement l'imagination de Tigresse qui ne se lassait pas des récits de ce genre.

Aux yeux de Tigresse, Petite Fou-tse était l'être le plus charmant et le plus enviable qui fût. En se comparant à elle, sa propre vie lui apparaissait comme un échec complet. Elle n'avait pas eu de jeunesse et ne pouvait pas espérer grand-chose de l'avenir. Quant au présent, mieux valait n'en pas parler, avec ce mari dur et muet comme de la brique !... Sa rancune contre Siang-tse augmentait en proportion de son affection pour Petite Fou-tse qui, malgré sa pauvreté, avait au moins vécu et pourrait mourir contente.

Cependant, elle ne voyait pas la misère de Petite Fou-tse ; elle était rentrée, les mains vides, au logis. Avec quoi allait-elle nourrir sa petite famille ?

Prise entre son père, paresseux comme un chat, et ses frères, maigres comme des souris affamées, elle ne savait que pleurer. Ses larmes ne parvenaient ni à toucher son père ni à nourrir ses frères : elle songea à se sacrifier davantage, au besoin, à donner sa propre chair. Oui, il lui était encore possible de vendre son corps. D'ailleurs, n'avait-elle pas maintes fois désiré transformer sa chair en nourriture, lorsqu'elle serrait dans ses bras son petit frère qui lui criait : « Sœur, j'ai faim ! »

Tigresse non seulement ne chercha point à la dissuader, mais proposa de l'aider dans son projet. Elle lui prêta de l'argent pour s'acheter des vêtements. Elle lui proposa même, pour recevoir des clients, une pièce, dans la journée, qui se présentait mieux que la sienne. Possédant deux pièces, Tigresse ne serait pas trop gênée. Elle ne perdait pas le sens des affaires. Il fut convenu que Petite Fou-tse lui paierait deux maos chaque fois qu'elle se servirait de sa chambre. Selon Tigresse, le prix était raisonnable, vu la peine qu'elle se donnait pour faire le ménage de la pièce.

Siang-tse ignorait tout des manigances de Tigresse. Mais il en subissait indirectement les conséquences. Il ne pouvait plus dormir tranquille. En « aidant » Petite Fou-tse, Tigresse s'initiait à bien des choses. Elle cherchait à rattraper sa jeunesse perdue en se repaissant de Siang-tse.

18

En juin, la grande cour était silencieuse dans la journée. Le soir, au coucher du soleil, hommes et enfants commençaient à rentrer. Fuyant la chaleur des taudis, ils restaient dans la cour en attendant que leur femme ou leur mère eût préparé le dîner, et cherchaient un brin de fraîcheur dans l'ombre des murs. En un instant, la cour s'animait, tel un marché où l'on ne vendait rien. Après une journée de travail sous une chaleur torride, les yeux brûlants, le ventre creux, les hommes étaient de méchante humeur. Au moindre incident, les uns giflaient leurs enfants, les autres s'apprêtaient à battre leur femme. Les injures fusaient de partout. L'agitation durait jusqu'après le dîner. Les enfants allaient jouer dans la rue, ou s'endormaient dans la cour. Les adultes, une fois l'estomac plein, retrouvaient leur calme. Ils bavardaient par petits groupes et parlaient de leurs peines du jour. Ceux qui n'avaient rien à manger – il était trop tard pour vendre quoi que ce fût, ou pour trouver un mont-de-piété ouvert – se cachaient chez eux. Le mari, malgré la chaleur, s'étendait sur le lit, silencieux ou vociférant ; pendant que sa femme, les larmes aux yeux, sortait dans la cour. Après avoir essuyé bien des refus, elle réussissait à réunir une vingtaine de piécettes, avec lesquelles elle allait chercher quelques nouilles pour toute la famille.

Tigresse et Petite Fou-tse ne faisaient pas partie de ce monde. Tigresse était enceinte – cette fois, ce n'était pas de la rigolade. Comme Siang-tse sortait très tôt le matin, elle ne se levait que vers huit ou neuf heures. Quand on est enceinte, il faut éviter le mouvement : préjugé erroné, mais solidement ancré dans la croyance populaire. Tigresse y croyait d'autant plus volontiers que cela la distinguait de ceux qui suaient du matin au soir. Après le dîner, elle installait un tabouret dans un endroit aéré de la rue ; elle y restait assise jusqu'à ce que la plupart des gens eussent évacué la cour pour aller se coucher.

Petite Fou-tse se levait tard aussi, mais pour une raison différente : elle voulait éviter les regards méprisants des voisins. Le matin, elle ne sortait que lorsque tout le monde était parti. Dans la journée, à part les moments qu'elle passait chez Tigresse, elle rôdait dehors, cherchant à se vendre. Le soir, elle sortait à nouveau et ne rentrait qu'au moment où les gens étaient déjà au lit.

Le 15 du sixième mois, il faisait une chaleur à fondre sur place. Le soleil, à peine levé, transforma la terre en fournaise. Une couche de nuages gris flottait bas dans l'air ; l'atmosphère était étouffante. Pas un souffle. Siang-tse scruta le ciel rougeâtre. Il décida de ne commencer qu'à quatre heures de l'après-midi. Il pourrait, au besoin, travailler jusqu'au lendemain matin. La chaleur de la nuit serait plus supportable.

Mais Tigresse le pressa de partir. Elle craignait que sa présence ne gênât le travail de Petite Fou-tse, au cas où elle aurait un client.

— Tu crois qu'il fait plus frais à la maison ? A midi, les murs sont brûlants à ne pas mettre la main dessus.

Il but une louche d'eau froide sans mot dire et sortit.

Dans la rue, les saules semblaient tous malades. Les feuilles, couvertes de poussière, étaient recroquevillées. Les branches, privées de vie, pendaient immobiles. La chaussée, sans la trace d'une goutte d'eau, luisait d'un éclat vitreux. La poussière qui s'élevait des trottoirs se mêlait à la brume grise et brûlait le visage des passants. La vieille cité était devenue un véritable four en briques. Les chiens restaient à plat ventre, la langue pendante ; les mulets et les chevaux avaient les narines dilatées. Les marchands ambulants s'étaient tus. Le goudron s'amollissait et les enseignes de cuivre semblaient fondre. Les rues dormaient dans un silence de mort, interrompu seulement par les chocs monotones et lancinants des forges.

Les tireurs, au risque de n'avoir rien à manger, ne haranguaient plus les clients : les uns avaient posé leur engin à l'ombre et piquaient un roupillon sous la capote ; d'autres buvaient du thé dans de petites auberges ; d'autres encore sortaient dans la rue sans leur pousse, simplement pour voir dans quelle mesure ils pouvaient affronter la chaleur. Ceux qui tiraient sous le soleil n'avançaient qu'à pas lents. Ils se ruaient sur le premier puits, comme sur une planche de salut. Parfois, ils n'attendaient pas que le seau fût remonté et disputaient aux mulets l'eau du réservoir. De temps à autre, on pouvait voir un tireur, en pleine course, tomber pour ne plus se relever.

Siang-tse lui-même hésita. Il fit quelques pas, avec son pousse vide, dans la rue inondée de soleil. Une chaleur suffocante l'enveloppa de la tête aux pieds ; il transpirait de partout, même sur le dos de la main. Il accepta cependant un client, avec l'espoir qu'en courant, il pourrait sentir un peu d'air. Très vite, il eut le souffle court et les lèvres brûlantes. Il comprit que la chaleur ne permettait pas de travailler. L'envie de boire de l'eau le travaillait comme une obsession, sans qu'il en eût vraiment besoin. Il avança courageusement, et arriva, tant bien que mal, à destination, les membres serrés dans ses vêtements trempés. Il essaya en vain de s'éventer avec un éventail de feuilles de bananier qui ne déplaçait que de l'air chaud. Quoiqu'il eût déjà ingurgité une mer d'eau froide, il ne pût s'empêcher de se précipiter dans une maison de thé. Il se calma après deux pleines théières bouillantes. La sueur lui sortait par tous les pores. Son corps n'était plus qu'un réservoir vidé. Il n'osait pas bouger.

Un long moment s'écoula, il commença à s'ennuyer. Si le temps prenait un malin plaisir à le provoquer, il ne devait pas céder, lui qui n'était plus un novice et qui avait déjà tiré durant tant d'étés. Il voulut ressortir, malgré son engourdissement : autant transpirer dehors que de se laisser liquéfier entre quatre murs !

Il ne tarda pas à le regretter. La brume grise ayant disparu, l'air était moins étouffant, mais le soleil ne s'en montrait que plus ardent. Personne n'osait lever les yeux vers le ciel. Où que l'on arrêtât son regard, on était ébloui : toits, murs, enseignes, sol... L'immense miroir de la terre réfléchissait une lumière blanche et rougeâtre qui allait, d'un moment à l'autre, tout embraser. Les couleurs blessaient les yeux ; les sons heurtaient l'oreille ; du sol montait une odeur puante. Les rues désertes semblaient soudain s'élargir ; leur surface aveuglante avait un aspect sinistre. Siang-tse ne savait plus que faire. Tirant son pousse, la tête basse et lourde, il avançait à pas lents, comme un chien errant. Son corps dégageait l'odeur épaisse de la sueur. Ses chaussettes, qui lui collaient aux pieds, lui donnaient la sensation désagréable de patauger dans la boue. Sans avoir vraiment soif, il courut vers un puits. Il but quelques gorgées d'eau pour en sentir la fraîcheur. Il tressaillit lorsque le froid lui parcourut le corps. Il rota afin d'empêcher l'eau de lui remonter dans la gorge.

Il s'asseyait, puis repartait, sans se décider à chercher un client. A midi, il n'avait pas encore faim. La vue même de la nourriture suffisait à l'écœurer. Son estomac était un sac rempli d'eau ; il l'entendait clapoter de temps en temps.

A une heure de l'après-midi, il tomba sur un client. Il choisissait ainsi l'heure la plus chaude de la journée la plus chaude de l'année pour travailler. Il relevait le défi que lui avait lancé le temps. Il voulait s'éprouver. S'il sortait victorieux de sa course, cela prouverait qu'il avait encore une santé solide. Sinon, il pouvait bien crever !

Il n'avait pas fait dix pas qu'une brise molle se fit sentir. Il l'accueillit comme quelqu'un qui, dans une pièce surchauffée, se délecte de la fraîcheur qui pénètre par les fentes de la porte. Incrédule, il regarda les branches des saules au bord de la route, qui, en effet, frémissaient légèrement. Les commerçants émergèrent soudain de leurs boutiques, abrités derrière leurs éventails. Ils cherchaient la provenance du vent tout en criant :

— De l'air, de l'air ; il y a de l'air !

Tout le monde sautillait d'excitation. Les branches des saules étaient maintenant des anges porteurs d'heureux présages célestes.

— Regardez les saules. Ça bouge ! Ciel, ciel, envoie-nous plus de vent !

Il faisait toujours aussi chaud, mais on était soulagé : un peu de vent apportait beaucoup d'espoir. Le soleil devint moins implacable. Tantôt brillant, tantôt sombre, il paraissait masqué par un écran de sable. Le vent se fit plus fort et les saules se mirent à s'agiter, comme réveillés soudain par quelque joyeux événement. On eût dit que leurs branches s'étaient tout à coup allongées. Encore une rafale et le ciel s'assombrit. La poussière emplit l'air, tandis qu'au nord se formaient des nuages noirs comme de grosses taches d'encre de Chine. Siangtse ne transpirait plus. Il arrêta le pousse, ouvrit la capote et couvrit les genoux de son client d'une toile imperméable. Il savait que les pluies d'été aiment arriver à l'improviste.

Les nuages n'avaient pas encore couvert tout le ciel que déjà une nuit sombre succédait à la lumière aveuglante de midi. Le vent, accompagné de gouttes d'eau, fouillait nerveusement les rues, comme à la recherche d'un objet perdu. Très loin au nord, les nuages noirs furent déchirés par un éclair rouge : une flaque de sang ! Un instant, tout s'arrêta dans une angoisse indicible. Même les saules attendaient, pantelants de terreur. Un autre éclair, cette fois tout près, et des gouttes de pluie cristallines tombèrent en martelant le sol. Des grains de poussière s'élevaient encore. On respira, ravi, l'odeur de la terre chaude et mouillée. Quelques grosses gouttes s'écrasèrent sur le dos de Siang-tse et le firent frissonner. Les nuages couvraient maintenant tout le ciel, d'une manière uniforme. Après une brève accalmie, le vent redoubla de force. Les branches des saules dansaient follement ; le sable tournoyait dans l'air. Le vent, la pluie, la terre se mêlaient en un tout indivisible, emporté dans un tourbillon furieux. Au milieu du désordre et du vacarme, on ne distinguait plus rien : arbres, nuages, maisons... Quand le vent se fut enfin calmé, la pluie tomba dru, non plus en gouttes, mais en cataractes, comme si les digues de quelque fleuve céleste avaient cédé. Des milliers de cascades inondaient les toits et le sol. Univers d'eau, entre ciel et terre, où alternaient les ténèbres et la lumière.

Siang-tse était trempé de la tête aux pieds ; la pluie n'avait pas même épargné ses cheveux, abrités sous son chapeau. Il avançait péniblement, entravé par l'eau qui atteignait déjà ses chevilles. La pluie, qui lui fouettait la tête et le dos, l'empêchait de lever la tête, d'ouvrir les yeux et de respirer. Découragé, il voulut poser son pousse, ne sachant plus où il se trouvait ni où était la route. Les trombes d'eau froide, qui le pénétraient jusqu'à la moelle, lui enlevèrent le dernier brin de chaleur. Il avança cependant, assourdi par le fracas du déluge. Le client sur le siège semblait mort ; il laissa Siang-tse se débattre sans rien dire.

La pluie diminua. Siang-tse se cambra et poussa un soupir.

— Monsieur, on s'abrite ?

— S'abriter ? Qu'est-ce que ça veut dire ? Tu ne vas pas me laisser ici ! cria le client en tapant du pied.

Siang-tse fut tenté de tout laisser tomber. Mais tout dégoulinant d'eau qu'il était, il grelotterait s'il s'arrêtait. Aveuglé par la pluie, les dents serrées, il se remit à courir. Le ciel s'assombrit, puis s'éclaircit.

Arrivé à destination, le client lui paya le prix de la course, pas un centime de plus. Siang-tse ne discuta pas ; il n'en avait plus la force.

La pluie devint sporadique. Siang-tse courut à la maison sans s'arrêter. Il fit un feu contre lequel il se serra, tremblant comme une feuille sous l'orage. Tigresse lui prépara un bouillon au gingembre qu'il but d'une traite, tel un automate. Il se glissa entre les draps, assommé, les oreilles bourdonnantes.

A quatre heures, l'orage donna des signes de fatigue, dardant encore quelques éclairs sans force. Peu après, à l'ouest, les nuages s'ouvrirent, auréolés d'or. Une brume ouatée vogua rapidement vers le sud, traînant derrière elle de faibles échos de tonnerre. Soudain, le soleil resplendit et brilla sur les feuilles alourdies par des gouttes d'eau au reflet vert-or ; cependant qu'à l'est, se formait un double arc-en-ciel dont les extrémités s'enfonçaient dans d'épais nuages. Ceux-ci disparurent à mesure que les arcs-en-ciel s'estompaient. Le ciel réapparut, d'un bleu de porcelaine, et la terre fut comme lavée. Des ténèbres surgit un univers neuf, tout de fraîcheur et de beauté. Dans la grande cour, autour des flaques d'eau voltigeaient des libellules aux ailes diaprées.

A part les enfants qui pourchassaient joyeusement les libellules, les gens n'avaient pas le loisir d'admirer les scènes d'après la pluie. Dans le logis de Petite Fou-tse, un pan de mur était tombé. Aidée de ses frères, elle hissa en hâte une natte pour cacher le trou béant. Les murs de la cour s'effondraient aussi à plusieurs endroits ; personne n'y fit attention, car chacun avait assez de son propre drame. Certains avaient leur maison inondée par l'eau qui s'était infiltrée sous la porte ; ils l'écopaient fébrilement avec des bols ou des paniers. D'autres, dont le plafond fuyait, faisaient sécher les objets mouillés sur le rebord de la fenêtre ou dehors, près d'un brasero. L'orage les avait acculés dans leurs pauvres masures qui risquaient de s'effondrer à tout moment et de les enterrer vivants. A présent, ils évaluaient leurs pertes. Si la détérioration des vivres se mesurait à un certain nombre de pièces d'argent, celle de la maison était pour eux irrémédiable. Ils payaient cher pour le loyer sans que le propriétaire fît la moindre réparation. Quand la maison était vraiment trop délabrée, on faisait venir un maçon pour colmater grossièrement les trous avec des briques cassées et de la boue. Solution plus que précaire ! Au péril de leur vie, ils restaient dans ces habitations dangereuses, ne pouvant se permettre un loyer plus élevé. Ils seraient expulsés et on leur confisquerait leurs affaires, le jour où ils ne pourraient plus payer.

Siang-tse tomba malade. Il ne fut pas le seul dans la grande cour.

19

Siang-tse dormit deux jours et deux nuits, dans un brouillard. Tigresse prit peur. Elle se rendit au temple bouddhiste pour implorer la déesse Kuan-yin et obtint un remède : de la cendre d'encens mêlée aux plantes médicinales. La potion fit effectivement ouvrir les yeux au malade qui se rendormit aussitôt, en murmurant des paroles indistinctes. Tigresse appela alors un médecin qui lui planta deux aiguilles et lui ordonna un remède. Lorsque Siang-tse se réveilla, il demanda :

— Il pleut encore ?

Il refusa d'avaler un second bol de bouillon amer. Il s'en voulait de s'être laissé vaincre par la pluie. Et puis, les médicaments coûtaient cher. Pour prouver qu'il pouvait s'en passer, il tenta de descendre du lit et de s'habiller. A peine assis, il sentit sa tête peser comme une pierre sur son cou ramolli. Pris de vertige, il se recoucha et, prenant son bol – ainsi que son courage ! – à deux mains, il ingurgita sa potion.

Il resta au lit dix jours. Il lui arrivait de s'enfoncer la tête dans l'oreiller et de sangloter silencieusement. Il savait que Tigresse déboursait pour le soigner et qu'il devrait par la suite combler le déficit, avec son seul pousse. Arriverait-il à entretenir Tigresse ? Elle qui était si dépensière et par-dessus le marché enceinte. Plus il y pensait, plus il s'énervait et moins il guérissait.

Lorsque, enfin, il retrouva un peu ses forces, il demanda à sa femme :

— Où est le pousse ?

— Ne t'en fais pas. Je l'ai loué à Ting le Quatrième.

— Ah...

Il s'inquiétait du sort de son pousse. L'engin serait abîmé dans les mains d'un autre. Cependant, il faut bien qu'il serve à quelque chose, songea-t-il. Quand il travaillait, il gagnait bon an mal an cinq ou six maos par jour qui suffisaient tout juste au loyer et aux strictes dépenses quotidiennes. Il n'était pas question d'envisager l'achat de nouveaux vêtements. Or, la location du pousse rapportait à peine plus d'un mao, ce qui signifiait qu'il fallait chaque jour prélever quatre ou cinq maos sur les économies, plus les frais de médicaments. Que faire si la maladie se prolongeait ? Pas étonnant que Tch'iang-tse le Second boive et que les autres tireurs s'adonnent à toutes sortes de vices. Le métier de tireur était une voie sans issue. Tu pourras toujours t'acharner, pas question de te marier ou de tomber malade. T'as même pas besoin de ça pour te retrouver sur le pavé. On te prend ton pousse, on te vole ton argent sans raison. Oui, une voie sans issue où la mort te guette et peut te prendre à tout moment.

Sa tristesse se changea en désespoir. Il décida de ne plus penser à rien et de rester couché tranquillement puisque tout revenait au même. Mais aussitôt après, il se révolta. Le chemin est semé d'embûches, mais l'homme a un cœur qui bat. Il doit lutter tant qu'il n'est pas dans un cercueil. Il tenta à nouveau de se lever ; la force lui manqua. Désabusé, il chercha à faire la causette avec Tigresse.

— Je l'avais bien dit, ce pousse est néfaste ; il porte malheur !

— Repose-toi. Tu parles tout le temps de pousses. T'es devenu un vrai cinglé du pousse, ma parole !

Un jour qu'il allait mieux, il sortait de son lit. Devant le miroir, il ne se reconnut pas : la barbe broussailleuse, les yeux enfoncés, les tempes et les joues creuses ; et il n'était pas jusqu'à la cicatrice qui ne fût sillonnée de rides... Malgré son désir de fuir la chaleur de la chambre, il n'osa pas s'aventurer dans la cour. Ses jambes étaient molles comme si elles n'avaient plus d'os. Et surtout, il ne voulait pas qu'on le vît dans ce piteux état. Qui, dans la cour et les stations de pousse, ne connaissait pas la réputation de Siang-tse ? Qui ignorait que Siang-tse était un gaillard de premier ordre ? Seul à se morfondre dans la chambre étouffante, il n'avait qu'un désir : retrouver sa forme au plus vite. Hélas ! que pouvait-on faire contre les ravages de la maladie ?

Au bout d'un mois, n'y tenant plus, il alla travailler sans se demander s'il était complètement guéri. Il rabattit son chapeau sur ses yeux afin de passer inaperçu et de pouvoir ainsi courir moins vite. Car de tout temps, on associait « Siang-tse » à l'idée de « vitesse ». Traîner les pieds devant les autres tireurs lui était insupportable.

Malgré sa faiblesse, il chercha à tirer le plus possible, comme s'il voulait rattraper les journées perdues. Au bout de quelques jours, il fut de nouveau terrassé par la maladie, cette fois compliquée d'une dysenterie. Il se donna des gifles, tant il était furieux contre lui-même. Peine perdue. La diarrhée le vida complètement ; la peau de son ventre semblait joindre celle du dos. Finalement, la diarrhée fut enrayée, mais il avait du mal à se relever quand il était accroupi. Il rongea son frein encore un mois, durant lequel la pensée que Tigresse avait probablement épuisé ses économies ne cessa de le torturer.

Le 15 du huitième mois, il effectua sa rentrée avec la résolution de se jeter à l'eau s'il tombait encore malade !

Pendant sa maladie, Petite Fou-tse venait souvent le voir. Ne trouvant pas en Tigresse une interlocutrice – il succombait d'avance à ses assauts – il aimait bavarder avec la jeune femme. Cela n'avait pas plu à Tigresse. Petite Fou-tse était une bonne amie, tant que Siang-tse n'était pas là. Elle devenait une ennemie redoutable dès qu'elle se rapprochait de lui. « Tu viens flirter avec mon homme, hein ? T'as pas honte ? » pensait Tigresse. Elle obligea Petite Fou-tse à lui payer ses dettes et lui défendit de mettre les pieds chez elle.

Petite Fou-tse perdait ainsi son « refuge ». Sa propre maison, avec son mur de derrière bouché par une natte, était par trop misérable pour recevoir des clients. En désespoir de cause, elle alla se proposer à une « société d'entremise ». Malheureusement, ces « sociétés »-là n'avaient cure de femmes comme elle. Elles recherchaient des « étudiantes », des jeunes filles de « bonne famille », c'est-à-dire des prostituées de grande classe. Elle songea aussi à entrer dans une « maison ». Mais elle y perdrait sa liberté et ne pourrait plus s'occuper de ses frères. Etant déjà dans l'enfer, elle ne craignait point la mort, pourvu que son sacrifice servît à quelque chose, qu'il permît au moins à ses deux frères de vivre. Une seule solution lui restait encore : se vendre bon marché. Elle recevrait ceux qui accepteraient d'entrer dans son logis. Cette solution présentait un certain avantage : elle n'aurait plus à se soucier de son « standing ». Sa valeur résidait dans sa jeunesse ; les clients qui ne paieraient pas beaucoup ne seraient pas exigeants pour le reste.

A mesure que sa grossesse avançait, Tigresse se déplaçait plus difficilement. Les plus petites courses devenaient des entreprises périlleuses. Siang-tse travaillait toute la journée dehors. Petite Fou-tse ne venait plus. Tigresse s'ennuyait comme un chien attaché dans sa niche. Croyant que Petite Fou-tse la bravait en se vendant au rabais, elle se postait devant la porte de la pièce de devant et lançait des railleries chaque fois qu'elle voyait celle-ci rentrer chez elle suivie d'un client. Petite Fou-tse avait de moins en moins de clients, ce qui justement réjouissait Tigresse.

Petite Fou-tse savait que si cette malveillance durait, les habitants de la grande cour finiraient par faire chorus avec Tigresse et par chasser sa petite famille de son humble logis. Elle avait peur et n'osait pas se mettre en colère. Un jour, toutefois, elle vint, accompagnée de son petit frère, s'agenouiller devant Tigresse. Elle ne disait rien, mais on pouvait deviner, à son air, sa détermination de jouer le tout pour le tout. Si cette fois encore, Tigresse ne se montrait pas conciliante, elle se donnerait la mort, mais elle n'aurait pas permis à son adversaire de lui survivre. Sa vie n'avait été qu'une suite d'humiliations ; elle s'y opposerait au moins une fois par la révolte.

Tigresse était gênée, ne sachant comment réagir. Avec son ventre bombé, elle ne pouvait pas se permettre de se battre avec Petite Fou-tse. Pour se donner une contenance, elle prétendit qu'elle plaisantait et qu'il ne fallait pas la prendre au sérieux. Après cette explication, elles redevinrent amies. Tigresse seconda Petite Fou-tse dans son « travail » comme auparavant.

Depuis qu'il s'était remis au travail le jour de la fête de la mi-automne (le quinzième jour du huitième mois), Siang-tse prenait toutes les précautions nécessaires. Ses deux maladies successives lui avaient démontré que sa santé n'était pas de fer. L'ambition de gagner des sous ne l'avait pas quitté, mais il se devait de tenir compte de ses faiblesses. Bien qu'il fût guéri de la dysenterie, son estomac faisait encore des siennes de temps en temps. Maintes fois, au beau milieu d'une course, lorsqu'il retrouvait son rythme et qu'il voulait accélérer, il était obligé de ralentir, voire même de s'arrêter. La tête rentrée, le dos courbé, il se tenait le ventre à deux mains, comme si quelque chose s'était étranglé là-dedans. Ce n'était pas trop grave lorsque cela se passait sans témoins. En revanche, quand ils étaient plusieurs à tirer un groupe de clients et qu'ils couraient ensemble, Siang-tse dissimulait mal sa gêne, chaque fois qu'il devait s'arrêter, sous le regard interrogateur des autres. Il n'avait pas encore trente ans qu'il montrait déjà tant de faiblesses ridicules. Qu'est-ce que ce serait à trente ou à quarante ? Cette pensée le fit suer d'angoisse.

Pour se ménager, il envisageait à nouveau de travailler chez un particulier. Là, il s'agissait de courir vite ; mais on avait de longues pauses où l'on pouvait reprendre haleine. Il savait à l'avance que Tigresse s'y opposerait. Eh oui, plus la peine de parler de liberté quand on fonde un foyer ; encore moins si on a une femme comme Tigresse sur le dos.

L'automne céda la place à l'hiver. Six mois durant, il essaya, tant bien que mal, de faire face à la situation. Sans oser se permettre des extra, il ne restait pas inactif. A cause de sa déficience physique et de ses soucis, il perdit sa superbe et sa désinvolture d'antan. Néanmoins, il gagnait plus que la plupart des tireurs. Excepté les moments où il avait vraiment trop mal au ventre, il ne laissait jamais échapper une occasion. Il se refusait à recourir aux « trucs » de certains tireurs : repérer les belles occasions, bluffer pour gonfler les prix, feindre l'accident au milieu d'une course, etc. Il se contentait de courir comme il fallait. C'était plus bête, mais plus sûr.

Faire des économies, il n'en était pas question. L'argent entrait par une main et sortait par l'autre. Dieu sait pourtant combien il surveillait ses dépenses ; c'était compter sans Tigresse qui excellait dans l'art de dépenser. La naissance du bébé était prévue pour le début du deuxième mois de l'année nouvelle. Au début de l'hiver, son ventre était déjà singulièrement gonflé. Parfois, elle se plaisait à en augmenter le volume afin d'afficher son importance de future mère. Forte de ce privilège, elle ne quittait même plus son lit. Tout le travail de la cuisine, elle le confiait à Petite Fou-tse qui pouvait ainsi emporter les restes des repas pour ses frères. Tigresse aimait manger de petits mets à longueur de journée. Plus son ventre grossissait, plus elle éprouvait le besoin de le remplir. Non contente de ce qu'elle achetait à la porte aux marchands ambulants, elle demandait chaque jour à Siang-tse d'en rapporter. Curieusement, son appétit se trouvait toujours exactement proportionnel à ce que Siang-tse gagnait ; la somme que celui-ci rapportait était régulièrement dépensée jusqu'au dernier sou. Siang-tse n'osait pas protester. N'avait-il pas épuisé les économies de sa femme lors de sa maladie ? Et n'avait-elle pas raison de le lui faire remarquer, lorsqu'il essayait de la freiner un peu :

— Tu n'y comprends rien. Quand on est enceinte, on est malade pendant neuf mois !

Après le Nouvel An, comme la naissance approchait, Tigresse défendit à Siang-tse de sortir le soir. Elle se rappelait son âge réel, sans oser le lui avouer. Toujours est-il qu'elle ne lui disait plus :

— Je suis seulement « un peu » plus âgée que toi.

Quant à Siang-tse, il ne manquait pas d'être excité devant l'imminence de l'événement. Le nom simple et mystérieux, qu'il allait avoir le droit de porter lui aussi, le nom de « père », ne pouvait le laisser insensible. Lui, le maladroit, le bon à rien, il avait l'impression, à ce mot magique, de retrouver une dignité. Il n'aurait pas vécu pour rien, s'il avait un enfant. Il en oublia toutes les peines que cette naissance avait provoquées.

Tigresse avait donc le mérite de n'être plus seulement « une » personne, mérite qui ne la rendait pas moins capricieuse et insupportable. Elle ne cessait de l'enquiquiner, alors qu'il avait besoin de repos, après une journée de travail épuisant. Elle lui défendit de sortir le soir, sans pour autant le laisser dormir tranquille. Partagé entre la joie et l'angoisse, il devint tout à fait distrait. Il lui arriva, dans une course, de dépasser la destination et de continuer à courir.

Aux environs de la fête des Lanternes – le 15 du premier mois – Tigresse demanda à Siang-tse de faire venir la sage-femme ; elle n'en pouvait plus. La sage-femme, après un examen rapide, déclara que le moment n'était pas encore venu. Elle lui décrivit les symptômes qui donneraient le signal. Deux jours après, Tigresse appela de nouveau la sage-femme : ce n'était toujours pas le moment. Elle se mit à pleurer et à crier qu'elle préférerait mourir que de continuer à subir la torture. Siang-tse ne savait plus que faire. Pour montrer sa sollicitude, il consentit à rester à son chevet pendant quelques jours.

A la fin du mois, Siang-tse lui-même pensa qu'il était vraiment temps de s'inquiéter. Tigresse faisait peine à voir. La sage-femme vint pour la troisième fois. Elle signifia à Siang-tse que l'accouchement allait être difficile. Il y avait l'âge de Tigresse ; et puis, c'était son premier bébé. Par ailleurs, elle ne se remuait pas assez. Ayant absorbé trop de nourriture, son ventre paraissait démesurément gros. Tous ces éléments ne favorisaient évidemment pas l'accouchement. Ajouté à cela le fait qu'elle n'avait jamais consulté un médecin et que la position du bébé n'avait pas été rectifiée. La sage-femme n'en connaissait pas la technique ; elle ne pouvait que répéter :

— Ça va être difficile !

Dans la grande cour, les gens avait l'habitude de lier la naissance d'un enfant à la mort de sa mère. Les autres femmes travaillaient au moins tout le temps de leur grossesse. Mal nourries comme elles l'étaient, leur bébé était rarement gros ; ce qui facilitait l'accouchement. Le danger les attendait plutôt après la naissance ; car elles ne disposaient pas des moyens de se soigner. Le cas de Tigresse était différent. Elle se soignait, pour ainsi dire, par avance. Ce privilège constituait, en même temps, un handicap sérieux.

Siang-tse, Petite Fou-tse et la sage-femme la veillèrent pendant trois jours. Elle invoqua tous les dieux et fit de nombreux vœux. La voix sourde à force de crier, elle gémissait : « Maman ! Maman ! » Tous étaient désemparés. Finalement, Tigresse supplia Siang-tse d'aller chercher, au-delà de la porte Te-cheng, dame Tch'en pour la prier de venir intercéder en sa faveur auprès de l'Immortel Grand Crapaud. La consultation était de cinq yuans au minimum. Tigresse sortit les derniers sept ou huit yuans qu'elle possédait.

— Vas-y, Siang-tse. Dépense tout ce qu'il faut ! Je serai gentille avec toi quand je serai guérie ! Vas-y vite !

Dame Tch'en, accompagnée d'un « garçon vierge » – un gaillard de quarante ans au visage mat – arriva le soir, à l'heure où les lampes s'allumaient. Elle avait une cinquantaine d'années. Portant une veste de satin bleu et dans les cheveux une barrette en forme de fleur de grenadier, les bras couverts de bracelets dorés, elle entra dans la pièce, l'air absent. Elle se lava d'abord les mains et alluma ensuite les encens. Après s'être prosternée devant un autel de fortune, elle s'assit derrière, le regard rivé sur les extrémités incandescentes des bâtons d'encens. Soudain, elle tressaillit, secouée de violents frissons. Elle baissa la tête et resta un long moment les yeux clos. On aurait entendu une aiguille tomber. Tigresse se retenait de gémir. Lentement, dame Tch'en releva la tête et fit un signe aux assistants. Le « garçon vierge » tira Siang-tse par la manche pour qu'il se prosternât. Celui-ci n'eut pas le temps de se demander s'il croyait aux dieux, il s'exécuta. De toute manière, ça ne pouvait pas causer de tort, se disait-il. Après avoir cogné son front plusieurs fois contre le sol, il se releva. Il tomba sur le regard fixe de dame Tch'en possédée maintenant par l'esprit de l'Immortel Grand Crapaud. Respirant le parfum lourd des encens, il espéra vaguement quelque miracle. Sa paume était couverte de sueur froide.

L'« Immortel Grand Crapaud » avait une voix rauque de vieillard. « Il » bégayait même un peu :

— Pas, pas grave. Dessine un ta, ta, talisman.

Le « garçon vierge » s'empressa de lui présenter une feuille de papier jaune. L'« Immortel Grand Crapaud » ramassa une pincée de cendres, cracha dessus et se mit à dessiner.

Le talisman achevé, « Il » ajouta en bégayant que Tigresse avait, dans une autre vie, contracté envers ce bébé une dette dont elle était en train de s'acquitter. Siang-tse saisit mal la signification de ces mots, mais il fut impressionné.

Après un long moment de recueillement, dame Tch'en ouvrit les yeux, comme au sortir d'un rêve. Le « garçon vierge » transmit aussitôt ce qu'elle disait au sujet de l'Immortel Grand Crapaud :

— Il est de bonne humeur aujourd'hui. Il parle beaucoup.

Puis elle ordonna à Siang-tse de faire avaler à Tigresse le talisman, ainsi qu'une pilule.

Dame Tch'en ayant manifesté le désir d'attendre les effets de son « remède divin », Siang-tse fut obligé de lui donner à manger. Petite Fou-tse se chargea de rapporter des galettes aux sésames toutes chaudes et de la viande en sauce. Dame Tch'en se plaignait de ce qu'il n'y eût pas de vin pour les accompagner.

Malgré le « remède divin », Tigresse continuait à se tordre de douleur. Cela dura plus d'une heure. Ses yeux commençaient à se révulser. Dame Tch'en ne parut point désarmée. Sans se hâter, elle demanda à Siang-tse d'allumer un gros bâton d'encens et de s'agenouiller devant. Quoiqu'il n'eût plus grande confiance en elle, il s'exécuta. Puisqu'il avait déjà perdu cinq yuans, autant expérimenter toutes les recettes ! Qui sait ?

A genoux devant le bâton d'encens, il ne savait quel dieu implorer. Il s'efforça de se composer une mine pieuse. Il se persuada qu'il avait distingué une forme étrange dans la flamme et il pria. Insensiblement l'encens diminua. Il appuya sa tête contre le sol et allongea le bras par terre. Dans cette position, il faillit céder au sommeil – il avait veillé depuis deux ou trois jours. Le poids de sa tête le fit sursauter. Il rouvrit les yeux et vit qu'il ne restait plus qu'un petit bout d'encens. Il se redressa péniblement, les jambes engourdies sans se demander s'il avait fait la durée nécessaire.

Dame Tch'en et son « garçon vierge » avait disparu.

Siang-tse renonça à la poursuivre. Il se précipita vers le lit. Tigresse s'efforçait de respirer par la bouche. La sage-femme avoua qu'elle était à bout de ressources et qu'il fallait envoyer la malade à l'hôpital.

Siang-tse sentit quelque chose se briser en lui. Il se mit à sangloter sans retenue. Petite Fou-tse versa aussi des larmes. Mais comme elle n'était pas directement concernée, elle garda sa lucidité.

— Siang-tse, ne pleure plus. Je vais me renseigner à l'hôpital.

Sans attendre la réponse, elle s'élança dehors en s'essuyant la figure.

Elle revint seulement une heure après ; si essoufflée qu'elle n'arrivait pas à prononcer un mot. Appuyée à une table, elle toussa longtemps avant de dire :

— Il faut dix yuans pour faire venir un docteur. Mais pour l'accouchement, il en faut vingt. Si l'accouchement est difficile, alors là c'est l'hôpital. Ça demande plusieurs dizaines de yuans. Siang-tse, qu'est-ce que tu vas faire ?

Siang-tse n'en savait rien. Les pauvres ne peuvent qu'attendre la mort.

Bêtise et cruauté étaient monnaie courante dans ce monde et avaient des causes lointaines et profondes.

A minuit, portant un enfant mort, Tigresse cessa de vivre.

20

Siang-tse vendit son pousse.

L'argent filait entre ses doigts comme de l'eau courante. Il fallait enterrer la morte et dépenser pour le moindre détail.

Siang-tse regardait comme un idiot les autres s'affairer. Il ne savait rien faire d'autre que débourser. Il avait les oreilles qui bourdonnaient et des yeux rouges et sales effrayants à voir. Il agissait comme un automate, obéissant aux ordres des autres, sans savoir au juste ce qu'il faisait.

Il commença à reprendre conscience lorsqu'il suivit le convoi vers l'extérieur de la ville. Personne d'autre n'escortait le cercueil si ce n'était les deux frères de Petite

Fou-tse. Ils tenaient chacun à la main une liasse de « papier-monnaie » destinée aux morts et les semaient le long du chemin pour les démons qui mettraient éventuellement obstacle au voyage de la défunte.

Siang-tse assista sans pleurer, l'air hagard, à la descente du cercueil dans la fosse. Une flamme, qui brûlait en lui, avait séché toutes ses larmes. Il resta bêtement là jusqu'à ce que le croque-mort vînt lui signifier que tout était terminé.

Entre-temps, Petite Fou-tse avait arrangé les deux pièces. Au retour, Siang-tse, épuisé, se laissa choir sur le kang. Sans pouvoir fermer les yeux, il fixait le plafond maculé de taches d'humidité. Puis il se leva et après un rapide coup d'œil, il ressortit pour acheter un paquet de « Lion jaune ». Assis sur le bord du kang, il alluma une cigarette sans avoir vraiment envie de fumer. Ses yeux se perdaient dans les volutes de la fumée bleue. Des larmes abondantes lui coulèrent sur les joues. Il pensa à Tigresse et tout lui revint à l'esprit. Tel était donc le résultat de tant d'années de dur labeur, depuis qu'il habitait la ville ! Il avait acheté un pousse qui était son unique instrument de travail, et l'avait perdu ; il en avait acheté un autre, et l'avait vendu. Malgré tant de souffrances et d'humiliations, il avait couru après un fantôme. Plus rien ; pas même une femme ! Tigresse n'était pas commode, certes, pourtant, sans elle, comment continuer à vivre ? Tout dans la maison lui appartient, pensa-t-il, et elle dort seule hors de la ville. Un accès de colère le fit cesser de pleurer. Il se mit à fumer furieusement. La cigarette finie, il enfouit sa tête dans ses mains. L'arrière-goût âcre de fumée lui brûlait la langue. Il eut envie de crier et de cracher le sang qui lui oppressait le cœur.

Petite Fou-tse entra sans qu'il s'en aperçût. Elle se tenait dans la pièce extérieure devant la table de la cuisine et le regardait.

Il leva la tête et la vit. Les larmes lui coulèrent à nouveau sur les joues. A ce moment, même devant un chien, il aurait pleuré. Il avait besoin de la sympathie d'un être vivant. Ayant trop de choses à dire, il ne trouvait plus de mots.

— Siang-tse, avança timidement Petite Fou-tse, j'ai tout rangé.

Il fit un signe de tête sans formuler de remerciements. Dans la douleur, toute politesse sonne faux.

— Qu'est-ce que tu comptes faire ?

— Ah ?

Il ne parut pas avoir bien entendu. Puis se ravisant, il secoua la tête pour signifier qu'il n'en savait rien.

Elle avança de deux pas et rougit. Ses lèvres entrouvertes laissaient voir ses dents blanches. Malgré son métier, elle n'en avait pas moins gardé sa pudeur.

— Je crois que...

Elle aussi avait beaucoup de choses à dire. Au moment de s'exprimer, elle ne trouvait plus ses mots. Elle ne sut que rougir.

Dans ce bas monde, les paroles vraies sont rares. Un visage de femme qui rougit vaut cependant mille paroles vraies. Même Siang-tse comprit la pensée de Petite Fou-tse. Il la considérait comme la plus belle fille du monde, car sa beauté venait de l'intérieur. Même si elle avait le visage grêlé, elle serait toujours belle. Elle était jeune et travailleuse : si Siang-tse voulait se remarier, il ne pouvait pas mieux choisir. Malheureusement, Siang-tse n'y songeait pas pour l'instant. Toutefois, si elle l'avait désiré et si, pressée par ses conditions de vie, elle l'avait proposé à ce moment, il aurait été difficile à Siang-tse de refuser. Oui, sensible à sa personne et à ce qu'elle avait fait pour lui, il ne pouvait qu'accepter. D'ailleurs, si près d'elle, il eut envie de la serrer dans ses bras. Ils pleureraient ensemble jusqu'à ce qu'ils eussent surmonté leur chagrin, et ensemble, ils continueraient la route. Il découvrit en elle toute la consolation qu'un homme peut attendre d'une femme. Lui, le taciturne, avait toujours aimé bavarder avec elle. Il lui semblait que, lorsqu'il s'adressait à elle, tout ce qu'il disait n'était pas vain. Et venant d'elle, un hochement de tête, un sourire, étaient une réponse des plus aimables. A travers elle, il entrevit l'intimité d'un vrai foyer.

A ce moment, le second frère de Petite Fou-tse entra.

— Sœur, père vient !

Elle fronça les sourcils. Elle ouvrit la porte, et vit son père dans la cour.

— Qu'est-ce que tu fais ici ?

Les yeux exorbités, il avança en titubant.

— Tu ne t'es pas assez vendue ? Il faut encore que tu te donnes gratuitement à Siang-tse ? T'as pas honte ?

Ayant entendu son nom, Siang-tse sortit et se mit derrière Petite Fou-tse.

— J'ai bien dit : Siang-tse.

Tch'iang-tse le Second essaya vainement de bomber le torse, il avait du mal à se tenir debout.

— Toi, si t'es un homme, cherche ailleurs, ne profite pas d'elle, t'entends !

Siang-tse ne voulait pas s'attaquer à un ivrogne. Mais trop de soucis accumulés le mirent hors de lui. Il avança d'un pas, les yeux étincelants de colère. Saisissant Tch'iang-tse le Second par l'épaule, il le jeta par terre.

L'ivresse de Tch'iang-tse le Second était plus ou moins feinte. Son sentiment de culpabilité s'était mué en violence. La secousse le fit revenir à lui. Il songea vaguement à se défendre, tout en sachant qu'il n'était pas de taille à lutter avec Siang-tse. Assis par terre, il ne savait plus que faire. Pour se donner une contenance, il lança à tout hasard :

— J'ai bien le droit de dire ce que je veux à mes enfants ! Occupe-toi de tes oignons ! Me frapper, toi ? Tu ne t'es pas regardé dans une glace ?

Siang-tse ne répondit pas. Il attendit tranquillement que l'autre lançât l'attaque.

Petite Fou-tse, les larmes aux yeux, était embarrassée. Elle savait que c'était inutile de calmer son père, mais elle craignait que Siang-tse ne le battît. Elle fouilla dans ses poches et réussit à rassembler une dizaine de piécettes de cuivre. Elle les donna à son frère. Celui-ci qui d'ordinaire n'osait guère s'approcher de son père, en le voyant dans cette position ridicule, s'enhardit. Il lui tendit la monnaie en disant :

— C'est pour toi. Va-t'en !

Le pauvre homme ramassa la monnaie, sans se départir de son arrogance. Il se leva et grommela :

— Fils de pute ! Gare à vous ! Je vous étranglerai tous un jour !

Arrivé à la grande porte de la cour, il se retourna encore.

— Siang-tse, je te laisse aujourd'hui. On réglera ça une autre fois !

Après son départ, Siang-tse et Petite Fou-tse rentrèrent dans la maison.

— Je suis à bout..., murmura-t-elle.

Ces mots exprimaient à la fois sa détresse et son unique espoir. Si Siang-tse voulait bien d'elle, elle était sauvée.

L'incident fit voir à Siang-tse le revers de la médaille ; non que son affection pour Petite Fou-tse eût diminué, mais il ne pouvait vraiment pas prendre en charge ses frères et son ivrogne de père ! Il venait de recouvrer sa liberté, encore qu'il dût de la reconnaissance à Tigresse : elle l'avait beaucoup aidé sur le plan matériel. Il savait que Petite Fou-tse n'avait nullement l'intention de profiter de lui, mais le fait était là : personne dans cette famille n'était capable de gagner son pain. Un pauvre doit toujours penser aux problèmes d'argent. L'amour, c'est réservé aux fils et demoiselles de bonne famille !

Il se mit à emballer ses affaires.

Petite Fou-tse demanda, les lèvres toutes blêmes :

— Tu vas déménager ?

— Je déménage !

Son cœur s'était endurci. Dans ce monde injuste, un pauvre ne pouvait se défendre qu'avec un cœur dur, pour préserver sa liberté, une liberté dérisoire !

Après l'avoir regardé, elle sortit de la chambre la tête baissée. Elle n'avait ni haine ni rancune. Seul lui restait le désespoir.

Les bijoux et les vêtements de bonne qualité de Tigresse avaient été mis dans le cercueil. Il restait de vieux vêtements, quelques meubles en bois et des ustensiles de cuisine. Ayant mis à part quelques vêtements encore potables, il fit venir un chiffonnier à qui il vendit tout le reste. Il en tira une dizaine de yuans – il aurait pu obtenir davantage, s'il avait pris la peine de marchander avec d'autres preneurs. Après le passage du chiffonnier, la chambre parut vide ; sur le kang étaient posés ses couvertures et les vêtements sélectionnés. Siang-tse se sentit débarrassé d'une lourde chaîne et libre de s'envoler. Un instant après cependant, il repensa aux objets qu'il avait vendus. La table était partie certes, mais ses pieds avaient laissé des traces ; quatre petits carrés sur le sol près du mur. De là, ses pensées se tournèrent vers Tigresse : tout avait disparu comme dans un rêve. Malgré tout, il s'était attaché à elle. Comment allait-il vivre désormais ? Il s'assit sur le kang et plongea sa main dans sa poche. En sortant son paquet de « Lion jaune », il fit tomber un billet. Machinalement, il tâta l'argent qu'il avait sur lui – tous ces derniers jours, il n'avait eu ni le cœur ni le loisir de faire ses comptes. Il entassa devant lui des pièces en argent, des billets, des piécettes de cuivre dont le total s'élevait à environ vingt yuans. Plus les dix de la vente, ça faisait une trentaine de yuans. C'était toute sa fortune.

Il poussa un long soupir et remit l'argent dans sa poche. Il ramassa couverture et vêtements et alla chercher Petite Fou-tse.

— Garde les vêtements pour toi. Les couvertures, je les laisse ici. Quand j'aurai trouvé un garage, je reviendrai les chercher.

Siang-tse débita ces paroles d'une traite, sans oser regarder Petite Fou-tse.

Elle répondit oui d'une voix faible.

Après avoir trouvé un garage qui pouvait le loger, il revint chercher ses couvertures. Petite Fou-tse avait les yeux rouges et enflés à force d'avoir pleuré. Il ne sut que lui dire. A grand-peine, il réussit à formuler quelques phrases :

— Attends-moi. Quand je me débrouillerai mieux, je viendrai. Oui, c'est sûr que je reviendrai !

Elle fit un signe de tête sans rien dire.

Après un seul jour de repos, Siang-tse recommença à travailler. Sans être paresseux, il ne recherchait plus les clients avec acharnement. Il continuait sans dégoût, mais sans ardeur. Au bout d'un mois, il retrouva son calme. Ses joues étaient plus pleines, mais elles avaient perdu ce rouge plein de santé d'autrefois. Les yeux restaient clairs quoique moins expressifs. Il ressemblait à un arbre après l'orage, qui se dresse sous le soleil, immobile. Il devenait de plus en plus taciturne. Le printemps approchait. Des bourgeons tendres poussaient sur les branches des saules. Parfois, assis la tête baissée près de son pousse, il remuait les lèvres en se parlant à lui-même. Ou encore, il lézardait au soleil et faisait un petit somme.

Encore qu'il courût plus vite que la plupart des tireurs, il ne voulait plus foncer à corps perdu. Il faisait particulièrement attention dans les tournants et les descentes. En courant, il ne répondait plus aux défis que lui lançaient les tireurs qui le dépassaient, quelle que fût la manière dont ils le provoquaient. Il en avait vu la futilité. Etre un as dans ce métier n'était plus pour lui un titre de gloire.

Dans le garage, il s'était fait, malgré sa nature taciturne, quelques amis. Une oie sauvage, même si elle ne cacarde pas, recherche tout de même la compagnie de ses semblables. Chaque fois qu'il sortait son paquet de cigarettes, il n'oubliait jamais de le proposer à la ronde. Il arrivait qu'on hésitât parce qu'il n'en restait plus qu'une seule, alors il disait simplement :

— Prends-la, j'en achèterai d'autres !

Quand on jouait aux cartes, il ne restait plus à l'écart comme autrefois. Il assistait au jeu en spectateur. Parfois, il faisait une mise, sans avoir l'intention de gagner, simplement pour signifier qu'il participait à la détente collective, combien justifiée après une journée de travail. Il en allait de même pour le vin. Il n'en buvait pas beaucoup, mais il en offrait volontiers aux autres. En somme, tout ce qu'il rejetait autrefois lui paraissait maintenant raisonnable. Force lui était d'admettre que les autres avaient raison, puisque sa manière de vivre avait abouti à une impasse. A l'occasion d'événements tristes ou heureux survenus autour de lui, il ne manquait pas d'offrir une quarantaine de piécettes de cuivre ou de participer à un cadeau collectif. Il se rendait même souvent à la cérémonie, sachant que ces gestes n'étaient pas inutiles. Les sentiments de joie et de tristesse étaient toujours sincères dans ces occasions-là. Cependant il n'osait pas toucher aux trente yuans de ses économies. Il les avait cousus dans un morceau de tissu blanc en maniant l'aiguille entre ses gros doigts, et avait caché le paquet dans sa chemise. Il ne songeait pas à les dépenser, fût-ce pour l'achat d'un pousse. Il les réservait pour toute éventualité : une maladie, un accident... Il savait par expérience combien un homme est fragile.

Aux environs du premier jour d'automne, il trouva un emploi chez un particulier. Cette fois-ci, le travail était moins dur que ce qu'il avait connu jusqu'alors. Sinon, il ne l'aurait pas accepté. La santé avant tout !

Son nouveau patron, M. Hia, avait loué une maison près du palais Yong-ho. C'était un homme d'une cinquantaine d'années qui avait fait des études. Il était marié et père de douze enfants. Il venait de prendre une concubine qu'il logeait dans cette maison, à l'insu de sa femme. La « petite famille » était donc composée seulement de M. Hia et de sa concubine, plus une bonne.

Siang-tse aimait bien son nouveau cadre de travail. Une petite cour entourée d'une série de six pièces. Les patrons en occupaient trois. Il y avait une autre pièce pour la cuisine et le reste pour les domestiques. La cour était petite, il suffisait à Siang-tse de deux ou trois coups de balai pour la nettoyer. Comme il n'y avait pas de fleurs à soigner, Siang-tse avait souvent envie de redresser le jujubier chargé de fruits qui poussait près du mur au sud. Il y renonça finalement, sachant que le jujubier avait un caractère sauvage et capricieux.

Son travail n'était pas accaparant. Il consistait à conduire le matin M. Hia à son yamen et à le ramener vers cinq heures du soir. Après son retour, M. Hia ne sortait plus, comme s'il avait trouvé chez lui un refuge. Dans la journée, avant quatre heures, Madame sortait souvent, mais jamais très loin. C'étaient des courses pour le marché Tong-an ou pour le parc Tchong-chan que Siang-tse exécutait allègrement, comme par jeu : d'autant plus qu'il avait de longs moments de repos entre l'aller et le retour.

M. Hia était très près de ses sous ; il ne dépensait rien à la légère. Quand il était dans la rue, il ne s'arrêtait nulle part, comme si rien d'intéressant n'existait. Mme Hia, en revanche, était extrêmement dépensière. Tous les deux ou trois jours, elle faisait des achats. Quand les plats n'étaient pas à son goût, elle les donnait aux domestiques. De même, elle se débarrassait des objets à peine usés, afin de pouvoir réclamer de l'argent pour en acheter d'autres. Le pauvre M. Hia, dont le but unique dans la vie semblait être de consacrer tous ses efforts pour le plaisir de sa concubine, n'avait lui-même ni confort, ni désir propre. C'était par la main de sa concubine qu'il dépensait. Il ne savait rien acheter, encore moins donner de l'argent aux autres. Sa femme légitime avec ses douze enfants habitait à Pao-ting. Il leur arrivait de ne rien recevoir de lui pendant quatre ou cinq mois.

Siang-tse avait de l'aversion pour M. Hia. Le dos courbé, la tête rentrée, il marchait les yeux toujours fixés sur ses pieds, comme un voleur. Sur le pousse, enfoncé dans le siège, il avait l'air d'un singe maigrichon. Il ne disait rien et ne souriait jamais. Les rares phrases qu'il disait étaient désagréables. A l'entendre, lui seul était un homme comme il faut, les autres étaient des fainéants. Vraiment Siang-tse ne l'aimait pas. Il essaya cependant de se faire une raison : après tout, il était là pour gagner son bol de riz ; il suffisait que la patronne fût un peu généreuse.

Généreuse, elle l'était ; car elle donnait de temps en temps des pourboires. On ne peut pas dire cependant que Siang-tse l'aimait beaucoup. A ses yeux, elle était beaucoup plus belle que Petite Fou-tse. Elle possédait des atouts que celle-ci n'avait pas : parfums, habits de soie et de satin... Malgré sa beauté et sa toilette, elle lui faisait penser curieusement à Tigresse, non pas à cause de son type, ni de ses vêtements, mais d'un quelque chose d'indéfinissable dans sa manière d'être. Elles sont du même acabit ! pensa Siang-tse.

Elle avait tout au plus vingt-deux ou vingt-trois ans. Mais avec son air expérimenté, elle n'avait rien d'une jeune mariée. Oui, tout comme Tigresse, elle n'avait pas le charme et la douceur d'une jeune fille. Elle était coiffée élégamment. Elle portait des chaussures à hauts talons et des vêtements qui lui moulaient bien le corps. Néanmoins, elle n'avait pas l'élégance naturelle des dames sans que pour autant on pût dire qu'elle était d'une origine douteuse. Il la trouvait seulement aussi redoutable que Tigresse, avec cette différence toutefois qu'elle était beaucoup plus jeune et plus coquette. Ayant un peu peur d'elle, il n'osait guère la regarder en face comme si elle portait en elle tout le venin spécifique d'une femme dont il avait été la victime.

Il avait de plus en plus peur d'elle à mesure qu'il découvrait les habitudes du couple. Les seules occasions où Siang-tse voyait M. Hia acheter quelque chose, c'était à la grande pharmacie. Siang-tse ignorait le genre de médicament qu'il achetait, il constatait seulement que chaque fois que M. Hia revenait de la pharmacie, il était particulièrement en forme, lui qui, d'ordinaire, avait plutôt l'air d'un moribond. Le couple, en conséquence, était aussi plus gai. Cela durait en général deux ou trois jours. Après, M. Hia retrouvait son air abattu et avait le dos plus courbé que jamais, tout comme un poisson vivant qu'on ramène du marché et qui frétille un instant dans l'eau avant de redevenir amorphe. Ainsi, dès qu'il voyait M. Hia affaissé sur le pousse comme un cadavre, il savait qu'il était temps d'aller à la grande pharmacie. Malgré son aversion pour M. Hia, il ne pouvait s'empêcher d'avoir pitié de lui. Il souffrait pour ce singe maigrichon, mais aussi pour lui-même. Lorsque M. Hia revenait avec son paquet de médicaments dans la main, il pensait irrésistiblement à Tigresse et à ce qu'elle avait exigé de lui. Ce n'était pas chic d'en vouloir à une morte, mais il gardait quelque rancune contre elle. Lui non plus, il n'était plus aussi solide qu'avant. Tigresse en était en grande partie responsable.

Il songea à quitter ce travail. Mais se reprocha aussitôt de s'en faire pour des choses qui ne le concernaient pas. Tout en fumant une cigarette « Lion jaune », il murmura :

— T'as pas à t'occuper des affaires des autres !

21

Un jour d'automne, mère Yang, la bonne, brisa par mégarde un des quatre pots de chrysanthèmes. Mme Hia entra dans une colère terrible, au grand étonnement de mère Yang qui était venue de la campagne et pour qui les fleurs et les herbes ne représentaient vraiment pas grand-chose. Etant fautive, elle n'osa pas répondre aux invectives de sa patronne. Mais comme celle-ci n'en finissait plus de tempêter, mère Yang, prise d'impatience, se mit aussi à lui lancer force injures, autant qu'une campagnarde en était capable. Tapant du pied, Mme Hia ordonna à sa bonne de plier bagage.

Siang-tse n'était pas intervenu. Il n'avait jamais été fort pour séparer des adversaires dans une dispute ; surtout lorsqu'il s'agissait de deux femmes. Quand il avait entendu mère Yang traiter sa patronne de « poule », il comprit que c'était fichu pour elle ; pour lui-même aussi probablement, car Mme Hia ne garderait pas un domestique qui avait été témoin de son humiliation. Après le départ de mère Yang, il s'attendait à être congédié ; avec sérénité d'ailleurs, car il avait appris à être détaché. Il prévoyait que la venue d'une autre bonne serait le moment où il devrait décamper.

Il n'en fut rien. Mme Hia se montra plus aimable qu'avant. Sans bonne, elle était obligée de préparer le repas elle-même. Siang-tse était chargé de faire les courses. Au retour, elle lui demandait de laver ceci, d'éplucher cela ; pendant qu'elle-même coupait la viande et faisait cuire le riz. Tout en travaillant, elle lui parlait. Elle portait une blouse rose et un pantalon bleu ciel et traînait aux pieds une paire de pantoufles en satin blanc brodées de fleurs. Siang-tse travaillait la tête baissée et avec des gestes maladroits. Il n'osait pas la regarder bien qu'il en eût grande envie : le parfum qui émanait d'elle l'ensorcelait comme une fleur odorante qui attire les papillons. Malgré lui, il la regarda à la dérobée.

Il ne méprisait point cette femme : cette concubine, cette beauté. Il souhaitait vaguement qu'elle commît des actes qui feraient honte à son singe de mari. Avec un tel homme, elle était en droit de songer à autre chose. De son côté, il était tenté de faire quelques incartades pour marquer son mépris à l'égard d'un patron aussi peu digne de respect. Il sentit l'audace le gagner.

Cependant, elle ne faisait pas attention à ses regards.

Le repas préparé, elle mangeait toute seule dans la cuisine, puis elle appelait Siang-tse.

— Mange. Après, n'oublie pas de faire la vaisselle. Tout à l'heure, quand tu iras chercher Monsieur, tu rapporteras les provisions pour le soir. Demain dimanche, Monsieur sera là. J'irai chercher une bonne. Tu en connais une ? C'est pas facile à trouver, une bonne ! Mange donc, avant que ça refroidisse !

Elle avait dit cela d'une façon tout à fait naturelle. La blouse rose lui parut soudain plus discrète. Il fut déçu et un peu honteux de lui-même. Désœuvré, il avala rapidement deux bols de riz. Après la vaisselle, il regagna sa chambre et fuma coup sur coup un nombre impressionnant de « Lion jaune ».

Le soir, en ramenant M. Hia, il se mit soudain, sans savoir au juste pourquoi, à le détester. Il eut envie de lâcher les brancards en pleine course. Le pousse se renverserait et le « singe » se casserait la figure. Il se contenta finalement de secouer les brancards pour l'incommoder. Le bonhomme ne disait rien ; Siang-tse se sentit désarmé. Il n'avait jamais fait une chose pareille. Il se calma, se trouvant passablement ridicule.

Le lendemain, Mme Hia sortit chercher une bonne. Peu après, elle en ramenait une pour un essai. Siang-tse abandonna tout espoir de pouvoir rester, avec toutefois un vague regret au fond du cœur.

Lundi après-midi, Mme Hia renvoya la nouvelle bonne. Elle la trouvait souillon. Elle demanda à Siang-tse d'aller chercher une livre de marrons.

Siang-tse revint avec des marrons tout chauds. Il s'annonça avant d'entrer.

— Apporte-les ici, répondit-elle de la chambre.

Siang-tse entra et vit qu'elle était en train de se mettre de la poudre devant un miroir. Elle avait toujours sa blouse rose. Mais au lieu d'un pantalon, elle avait mis une jupe vert tendre. En apercevant Siang-tse dans le miroir, elle se retourna brusquement et lui sourit. Dans ce sourire, Siang-tse revit Tigresse, une Tigresse jeune et belle ! Il resta interdit. En un instant, tout s'évanouit : courage, espoir, peur, scrupule... Il avait la sensation d'être parcouru par un courant électrique qui le paralysait. Il perdit la tête.

Trois ou quatre jours après, il retourna au garage, tirant derrière lui ses bagages.

La « maladie » qui autrefois lui paraissait la plus redoutable et la plus honteuse de toutes, voilà qu'en éclatant de rire, il déclarait à tous en être atteint : il n'arrivait plus à pisser !

Tout le monde se faisait un honneur de lui conseiller quel remède prendre et quel médecin consulter. Personne ne trouvait ça honteux et chacun était fier de raconter, en rougissant un peu, sa propre expérience : certains jeunes avaient attrapé ça en payant une prostituée ; d'autres, plus âgés, y avaient eu droit gratuitement. Il y en avait aussi qui avaient plus ou moins connu cette « maladie » en travaillant chez des particuliers, d'autres encore sans avoir connu ça personnellement, racontaient ce qu'ils avaient observé chez leurs patrons. L'incident de

Siang-tse les avait tous réjouis : ils lui firent des confidences. Sans en faire une gloire, il n'eut plus de honte pour sa maladie. Il en endura les inconvénients paisiblement comme s'il avait seulement attrapé froid. Il éprouvait du regret quand il souffrait, mais quand ça allait, il se rappelait avec nostalgie les moments délicieux.

Un remède par-ci, une pilule par-là, il dépensa ainsi plus de dix yuans pour se soigner sans que la maladie fût complètement enrayée. Dès qu'il ne souffrait plus, il arrêtait le traitement. Toutefois au moment des changements de saison ou par temps humide, il ressentait des douleurs dans les jointures : il prenait alors de nouveau un peu de médicaments. Parfois, il ne prenait même rien du tout. Dans sa misère, la santé ne paraissait plus un sujet digne de préoccupation.

Après cette maladie, il devint presque un autre homme. La taille restait la même, mais il avait perdu cet air avenant et franc d'autrefois. Il avait les épaules légèrement affaissées et les lèvres déformées par un éternel mégot. Parfois, il posait une cigarette éteinte sur l'oreille, non par commodité, mais pour se donner un genre. Malgré son caractère taciturne, il s'efforçait aussi, quand l'occasion se présentait, de lâcher en passant un mot drôle ou vulgaire, dans le seul but de se montrer décontracté.

Néanmoins, comparé aux autres, il n'était pas parmi les plus moches. Quand il était seul et qu'il revoyait son image d'autrefois, il voulait encore remonter la pente. Ses efforts pour « arriver » s'étaient révélés vains ; mais se laisser détruire purement et simplement le révoltait aussi. Il songea à nouveau à l'achat d'un pousse. De ses trente yuans, dix avaient été bêtement dépensés pour soigner sa maladie. Les vingt yuans qui restaient ne représentaient pas grand-chose. Cependant, par rapport aux tireurs qui n'avaient rien, il ne partait tout de même pas de zéro. A cette pensée, il eut envie de jeter le paquet de

« Lion jaune » à moitié entamé et de ne plus fumer. L'idée de faire des économies et d'acheter un pousse le fit penser à Petite Fou-tse. Il éprouva un sentiment de culpabilité envers elle. Depuis son départ de la grande cour, il n'était jamais retourné la voir. Ses conditions ne s'étaient pas améliorées. Il s'était payé, par-dessus le marché, une sale « maladie » !

Désabusé, il devint moins exigeant envers lui-même. Autrefois il affrontait tout ; maintenant, il se reposait jusqu'à deux ou trois jours quand il ressentait des douleurs ou quand il faisait mauvais.

S'il était généreux pour offrir des cigarettes et du vin, par contre, il ne prêtait jamais d'argent. Il se le réservait pour les jours de repos. Dans sa paresse, il s'ennuyait. Il cherchait alors les occasions de se distraire, et de faire bonne chère. Il semblait que rien ne pouvait plus empêcher Siang-tse de glisser sur la pente de la facilité. Si parfois le remords le rongeait, il avait pour se justifier cette phrase toute bête : « Qu'est-ce que ça t'a donné, ton labeur et tes scrupules ? »

La paresse favorise la mauvaise humeur. Siang-tse commença à apprendre la manière de traiter les gens. Devant les clients et les agents de police, il décida de ne plus se montrer docile comme un agneau. Il ne se laisserait plus faire. Il posait son pousse n'importe où sans s'occuper si c'était autorisé ou non. Si un agent venait, il grommelait sans bouger, essayant de traîner le plus longtemps possible. Parfois, obligé de décamper, il savait lancer quelques injures ; et au cas où l'agent n'acceptait pas d'être insulté, il n'hésitait pas à provoquer une bagarre, quitte à aller en prison. Avec sa force, il avait en général facilement le dessus. Il éprouvait une sensation de fierté lorsqu'il sentait ses poings cogner sur un agent, chose qu'il n'aurait pas osé imaginer auparavant. Après la bagarre, tout lui semblait plus clair et le soleil plus radieux.

Ces agents de police aux mains nues ne lui faisaient donc plus peur, les automobilistes arrogants qui régnaient en maîtres dans les rues non plus. Quand une voiture venait en face, en soulevant une poussière à vous étouffer, Siang-tse ne s'écartait pas. Le chauffeur avait beau klaxonner, les gens dans la voiture avaient beau s'impatienter, il ne cédait pas. Il ne laissait le passage à la voiture que lorsque celle-ci avait ralenti. Il se servait du même procédé quand une voiture venait par-derrière. En agissant ainsi, il visait encore les agents de police, qui ne s'occupaient que d'ouvrir la voie aux voitures pour qu'elles pussent foncer et soulever le plus de poussière possible. Aux yeux des agents, Siang-tse devenait le gêneur numéro un. Toutefois, ils ne lui cherchaient pas trop querelle ; ils comprenaient qu'ils avaient affaire à un pauvre type poussé à bout.

Vis-à-vis des clients, il n'était plus aussi complaisant qu'auparavant. Arrivé à destination, il ne faisait pas un pas de plus par rapport à l'endroit convenu. Si le client avait demandé : « Juste à l'entrée de l'impasse », il n'était pas question pour lui d'y pénétrer. Si le client rouspétait, Siang-tse rouspétait encore plus fort. Il savait que ces messieurs habillés à l'occidentale – les plus arrogants et les plus avares de tous – craignaient surtout qu'on ne leur salît leur habit qui coûtait au moins une soixantaine de yuans. S'il y avait dispute, il n'avait qu'à les saisir par le bras, imprimant sur leur manche la trace de sa main sale. Ils payaient sans trop regimber, après avoir apprécié la force de sa poigne.

Un homme est façonné par ses expériences. Il est inutile d'espérer voir une pivoine pousser dans un désert. Siang-tse finit par rentrer dans le rang : c'est-à-dire par devenir un tireur ordinaire, ni meilleur ni pire qu'un autre. Il se sentait plus à l'aise d'ailleurs au milieu des autres. Quand on est corbeau et qu'on vit parmi les corbeaux, il vaut mieux avoir un plumage noir plutôt que blanc.

C'était l'hiver à nouveau. Le vent venu du désert apportait le froid et faisait mourir les sans-abri dans la nuit. Siang-tse, entendant le sifflement du vent, enfonça la tête sous la couverture. Il se leva lorsque le vent cessa de hurler comme un loup. A la pensée de devoir affronter le vent et de saisir les brancards glacials, il hésita à sortir. Vers quatre heures de l'après-midi, le vent cessa enfin ; un rayon de soleil couchant se refléta sur le ciel gris-jaune. Il se força à sortir. Tenant nonchalamment les brancards, un mégot aux lèvres, il fit avancer le pousse en poussant avec sa poitrine la barre de devant qui relie les brancards. Il fit nuit presque aussitôt. Il avait hâte de trouver un ou deux clients afin de terminer sa journée au plus tôt. Trop paresseux, il n'avait pas allumé la lampe du pousse. Il le fit seulement après quatre ou cinq avertissements des agents de police.

Devant la tour Kou-leou, il trouva un client qui voulait aller à l'est de la ville. Il se mit à courir à petite vitesse, sans même avoir pris la peine d'enlever sa robe ouatée. « Je dois avoir l'air chouette, pensa-t-il. Tant pis ; c'est pas pour ça qu'on me paiera plus cher ! » Il garda sa robe même lorsqu'il commença à transpirer. Dans une ruelle, un chien, sans doute étonné de voir un tireur en robe longue, le poursuivit en aboyant. Il arrêta le pousse et se mit à chasser le chien avec une serviette. Le chien disparut dans l'ombre. Il attendit encore un moment pour voir si la bête oserait revenir. Puis il cria :

— Merde, tu croyais me faire peur ?

— Qu'est-ce que c'est que cette manière de tirer, je te le demande ! dit le client d'un ton mécontent.

La voix fit sursauter Siang-tse ; elle lui parut familière. La ruelle était sombre. Il n'arrivait pas à distinguer le visage du client. Celui-ci portait un grand chapeau ; la bouche et le nez étaient cachés par une écharpe. On ne pouvait voir que ses yeux. Pendant que Siang-tse hésitait, le client dit encore :

— Mais c'est Siang-tse !

Siang-tse reconnut Quatrième Seigneur. Le sang lui monta à la tête.

— Et ma fille ?

— Morte !

Siang-tse, immobile, écouta l'écho de cette réponse comme si elle avait été prononcée par quelqu'un d'autre.

— Quoi ? Morte !

— Morte !

— Pas étonnant ! Avec toi, on ne peut pas finir autrement !

A ces mots, Siang-tse revint à lui.

— Descends, descends, tu entends ? T'es trop vieux pour que je te tape dessus. Vite, descends !

Quatrième Seigneur, les mains tremblantes, descendit du pousse.

— Où est-elle enterrée, dis-moi ?

— Ça ne te regarde pas !

Siang-tse releva le pousse et partit.

A une certaine distance, il se retourna. La silhouette massive du vieillard n'avait pas bougé.

22

Tenant fermement son pousse, la tête haute et les yeux brillants, Siang-tse marchait, d'un pas résolu. Il se sentait léger et soulagé, comme si d'un coup, il avait déchargé sur la tête de Quatrième Seigneur tout le poids des malheurs qui l'avaient accablé depuis son mariage avec Tigresse. Oubliant le froid et tout souci de chercher des clients, il allait droit devant lui avec la conviction de retrouver au bout du chemin le Siang-tse d'autrefois, un

Siang-tse insouciant, innocent et fort. Il pensa à cette masse sombre au milieu de la ruelle, à ce vieillard qu'il avait enfin vaincu. Désormais, aucun obstacle ne pouvait l'arrêter. Il ne lui avait donné ni coups de poing ni coups de pied, mais il avait laissé le vieillard anéanti par l'atroce nouvelle et bouillonnant d'une colère qui l'étoufferait ! C'était un châtiment suffisant. « Tu as tout eu, et moi je n'ai rien eu. En fin de compte, qui est-ce qui a gagné ? songea-t-il. Je continue à tirer joyeusement, tandis que toi, tu restes là comme un idiot sans savoir même où se trouve la tombe de ta fille ! Avec tes pièces d'argent qui s'entassent aussi haut qu'une montagne et ton fichu caractère qui faisait peur aux tireurs, tu n'es pas venu à bout de moi ! »

Plus il y pensait, plus il était content. Il eut envie de chanter à tue-tête pour annoncer au monde son triomphe. « Siang-tse revit, Siang-tse est victorieux ! » Le froid qui lui cinglait le visage non seulement ne l'incommodait pas mais lui procurait une sensation agréable. Les réverbères émettaient une lumière pâle et froide. Mais Siang-tse eut l'impression que son corps rayonnait d'une lumière chaude, capable d'éclairer le monde, et par là, son propre avenir. Il perdit en un instant l'envie de fumer et de boire. Il prit la décision de recommencer à zéro. Sa victoire sur Quatrième Seigneur ne serait pas provisoire. Après avoir craché toute l'eau amère qui le rongeait, il allait pouvoir respirer l'air pur. Il s'examina et se trouva encore jeune. Il resterait toujours jeune, il vivrait joyeusement, parce qu'il serait toujours honnête et loyal. Tous ceux qui l'avaient persécuté connaîtraient leur châtiment : les soldats qui lui avaient volé son pousse, Mme Yang qui ne donnait rien à manger aux domestiques, Liou le Quatrième Seigneur qui l'exploitait et le méprisait, le détective Sun qui lui avait fait du chantage, dame Tch'en avec son imposture, Mme Hia qui l'avait séduit.

« Mais désormais, fais attention, se répéta-t-il. Il n'y a pas de raison que ça ne marche pas. Je suis jeune, j'ai de la force et de la volonté. Qui m'empêchera de réussir, de me marier ? Bien sûr, avec ce qui m'est arrivé, n'importe qui aurait dégringolé. Bien sûr, il y a aussi cette maladie honteuse. C'est pas grave. Du moment qu'on décide d'être fort, on se retape vite. Demain, vous verrez un Siang-tse tout neuf, encore mieux qu'avant ! »

Tout en monologuant, il accéléra le pas. Après avoir transpiré, il eut soif. En cherchant à boire, il se rendit compte qu'il se trouvait tout près de la porte Arrière. Il posa le pousse à une station, à côté de la porte, et appela un vendeur de thé ambulant. Celui-ci lui versa dans un bol de terre cuite du thé jaunâtre, qu'il avala péniblement, tant il était écœurant. Il décida pourtant que désormais il n'entrerait plus dans une maison de thé et qu'il ne boirait plus que du thé comme celui-ci. Il fallait commencer dès maintenant une vie nouvelle. Pour se le prouver, il acheta une dizaine de pâtes farcies de trognon de chou et se força à les mastiquer et à les avaler tant elles étaient caoutchouteuses. Après quoi, il s'essuya la bouche du revers de la main et se demanda où aller.

Les personnes chez qui il pouvait aller étaient au nombre de deux : Petite Fou-tse et M. Ts'ao. M. Ts'ao, un « sage », pouvait sûrement lui pardonner et l'aider. Il lui dirait ce qu'il fallait faire. Avec les conseils de M. Ts'ao et l'aide de Petite Fou-tse, il réussirait, il ne pouvait que réussir !

Son plan établi, il se sentit tout à fait heureux. Ses yeux étincelaient comme ceux d'un aigle. Il se précipita vers un client qui appelait. Avant même de marchander le prix, il enleva sa robe. Cette fois-ci, poussé par une ardeur inconnue, il se lança dans une course rapide, bien qu'il se rendît compte qu'il n'avait plus ses jambes de vingt ans. Pour s'éprouver, il courut comme un forcené. Siang-tse n'était quand même pas n'importe qui. Il dépassait sans cesse d'autres tireurs. La course terminée, il était en nage. Il se sentit plus léger et ses jambes semblaient retrouver leur élasticité d'autrefois. Il eut envie de continuer, tout comme un cheval de race qui, après la course, trotte encore. Ce soir-là, il travailla jusqu'à une heure du matin. Rentré au garage, il fit le compte, la location mise à part, il lui restait encore neuf maos.

Il dormit d'un sommeil profond. Quand il rouvrit les yeux, le soleil était déjà haut. Il goûta ce doux repos après la fatigue. En s'étirant, il s'amusa à faire craquer ses os. Il avait l'estomac creux.

Après le petit déjeuner, il dit en souriant au patron :

— Je me repose un jour, j'ai à faire !

D'après ses calculs, une journée lui suffirait pour tout régler. Le lendemain, il commencerait sa nouvelle vie.

Il courut vers le boulevard Tch'ang-an du Nord. En chemin, il ne cessait de prier en son for intérieur : pourvu que M. Ts'ao soit là. Siang-tse n'était plus le même, il fallait que le Ciel le protégeât !

A la porte de la maison des Ts'ao, d'une main tremblante, il pressa le bouton de la sonnerie. En attendant que la porte s'ouvrît et qu'un visage connu se montrât, il sentit son cœur cogner avec force. Après un silence qui lui parut une éternité, un bruit derrière la porte le fit sursauter. Bientôt le grincement de la porte fut accompagné d'un « ah ! » chaleureux de mère Kao.

— Siang-tse ! Depuis le temps qu'on ne s'est vu ! Tu as maigri.

Mère Kao, elle, avait grossi.

— Monsieur est là ?

— Il est là. Eh bien, c'est gentil. On ne connaît que Monsieur ? On ne me dit même pas bonjour ! Toujours avare de paroles, hein ? Entre donc. Tu as l'air de pas mal te débrouiller.

Tout en parlant, elle le conduisit à l'intérieur.

— Oh, non !

Siang-tse sourit.

— Eh, Monsieur, cria mère Kao à la porte du bureau. Siang-tse est là.

— Qu'il vienne !

M. Ts'ao était en train de déplacer un pot de jonquilles pour le mettre au soleil.

— Entre, Siang-tse. Nous bavarderons tout à l'heure. Je vais prévenir Madame. On pense souvent à toi. Tu es peut-être idiot, mais tu es sympathique, tu sais ?

Et mère Kao se retira dans une autre pièce.

Siang-tse entra dans le bureau. Ne trouvant pas les formules de politesse, il se contenta de dire :

— Monsieur, je suis là.

— Ah, Siang-tse ! s'exclama M. Ts'ao, tout souriant.

Il était en chemise et se tenait debout au milieu de la pièce.

— Assieds-toi !

Puis, après un instant de réflexion :

— Nous sommes revenus ici depuis longtemps déjà. Vieux Tch'eng nous a dit que tu étais au... ah oui, au garage Jen-ho. Mère Kao y est allée une fois, elle ne t'a pas trouvé. Assieds-toi. Comment ça va ?

Siang-tse allait pleurer. Parler n'avait jamais été son fort. Son histoire avait été écrite avec son sang. Il aurait voulu la traduire en mots simples. Pour cela, il lui fallait d'abord mettre de l'ordre dans la multitude d'épisodes accumulés dans sa mémoire. Son histoire avait-elle de la valeur ? Il l'ignorait. Mais au moins elle était vivante et vraie.

M. Ts'ao s'assit sans faire de bruit pour laisser à Siang-tse le temps de réfléchir.

Après un long moment d'hésitation, il leva la tête vers M. Ts'ao, comme pour dire que s'il risquait de l'ennuyer, il pouvait tout aussi bien se taire.

— Parle !

M. Ts'ao fit un signe de tête.

Siang-tse se lança. Il raconta tout, depuis son enfance à la campagne jusqu'à sa vie présente, sans négliger aucun détail. Ses souvenirs n'étaient que sang, sueur et souffrances : tous les éléments lui paraissaient donc précieux ; en omettre un, c'était arracher un morceau de chair à un corps vivant. Il s'étonnait d'être capable de raconter si longuement et si naturellement. Les mots exaltants, douloureux jaillissaient de son cœur sans qu'il eût vraiment à intervenir. Son histoire terminée, il se sentit vidé, mais attendri, apaisé.

— Tu veux que je te donne un conseil ? demanda M. Ts'ao.

Siang-tse hocha la tête. Comme si, ayant trop parlé, il ne voulait plus ouvrir la bouche.

— Tu veux toujours tirer ?

Siang-tse hocha à nouveau la tête. Il ne connaissait pas d'autre métier.

— Si tu veux continuer, il n'y a pas trente-six solutions. Ou bien tu achètes encore un pousse, ou bien tu en loues un en attendant, n'est-ce pas ? Sans économies, tu es obligé d'emprunter pour en acheter un. Ce n'est pas avantageux à mon avis. Le mieux serait encore de louer un pousse et de travailler chez un particulier. Là tu as le logement et la nourriture assurés. A propos, pourquoi ne viens-tu pas tout simplement chez moi ? Mon pousse, je l'ai vendu à M. Tso. Si tu viens, il faudra que tu en loues un. Qu'en dis-tu ?

— D'accord !

Siang-tse se leva de sa chaise.

— Monsieur s'en souvient-il encore ?

— De quoi ?

— De ce soir-là ! Vous êtes tous allés chez M. Tso.

— Ah oui.

M. Ts'ao se mit à rire.

— Qui s'en souvient encore ! J'ai été un peu trop nerveux cette fois-là. On s'est réfugié à Chang-haï et on y est resté plusieurs mois. En fait, ce n'était pas nécessaire. M. Tso avait arrangé les choses. Je n'y pense plus. Revenons à nos moutons. Tu parlais tout à l'heure de Petite Fou-tse, qu'est-ce que tu comptes faire d'elle ?

— Je n'en sais rien.

— Voyons. Si tu l'épouses, tu es obligé de louer une pièce. Le loyer, le charbon et l'huile pour la lampe, ça fait cher au total. Tu n'y arriveras pas. A moins que vous ne travailliez au même endroit, toi comme tireur et elle comme bonne. C'est très difficile à trouver.

M. Ts'ao hocha un peu la tête. Puis il ajouta :

— Ne sois pas froissé si je te demande : est-ce qu'elle est vraiment bien ?

Siang-tse rougit. Toutes sortes de pensées surgirent en lui, dans une confusion telle qu'il perdit tous ses moyens. Il finit par bredouiller :

— Elle fait « ça » parce qu'elle ne peut pas faire autrement. Elle est bien, je le jure sur ma tête, elle...

— Ou bien alors, dit M. Ts'ao d'un ton hésitant. Vous venez ici. Seul ou avec elle, tu occuperas de toute manière une pièce. Elle doit savoir faire un peu de ménage, non ? Elle pourra aider mère Kao. Madame va accoucher bientôt. Mère Kao aura vraiment besoin d'une aide. Elle sera donc logée et nourrie, mais elle ne recevra aucun salaire, qu'en dis-tu ?

— Magnifique ! s'exclama Siang-tse en souriant candidement.

— Seulement, je ne peux pas décider seul ; il faut que je discute avec Madame.

— Entendu ! Si Madame n'est pas rassurée, je peux l'amener pour la présenter à Madame !

— Parfait.

M. Ts'ao rit aussi, ravi de la délicatesse de Siang-tse.

— Je vais d'abord en dire un mot à Madame. Tu l'amèneras. Madame dira oui quand elle la verra.

— Monsieur, je m'en vais alors.

Siang-tse eut hâte d'annoncer la nouvelle, absolument inouïe, à Petite Fou-tse.

Il était environ onze heures. C'était le moment le plus agréable de cette belle journée d'hiver. Dans le ciel sans nuages planait le soleil qui réchauffait la terre de ses rayons lumineux. L'air était limpide. Les bruits se répercutaient au loin. On entendait le chant des coqs, les aboiements des chiens et les cris des marchands qui provenaient des rues avoisinantes, aussi sonores et distincts que les cris des grues dans le ciel. Les pousses avaient tous leur capote ouverte, et leurs plaques de cuivre brillaient. Sur les larges trottoirs, marchaient lentement les chameaux. Au milieu de la chaussée, se précipitaient voitures et tramways. Les colombes s'envolaient de partout. Sous le ciel bleu, toute la vieille ville n'était que vacarme et mouvement. Toutefois, au milieu de l'agitation, on éprouvait une sensation de paix et de bien-être. Les arbres se tenaient tranquillement le long des rues.

Siang-tse était joyeux. S'il l'avait pu, il se fût envolé pour tournoyer là-haut en compagnie des colombes. D'un coup, il possédait tout : travail, salaire, Petite Fou-tse. C'était inespéré ; c'était incroyable ! Et ce ciel si clair, si dégagé, aussi franc que le caractère d'un homme du Nord. Il ne se rappelait pas avoir vu une journée aussi adorable. C'était donc que le Ciel approuvait aussi son bonheur. Pour marquer davantage sa joie, il acheta un kaki glacé qu'il croqua. Le froid lui pénétra dans les racines des dents et lui descendit dans l'estomac. La langue lui piquait, mais il avait le corps rafraîchi de l'intérieur. Il marchait à grandes enjambées. Il s'en voulait de ne pas posséder des ailes. Il voyait en pensée la grande cour, la petite chambre et l'être aimé. Son anxiété maintenant dépassait celle de tout à l'heure, lorsqu'il était allé voir M. Ts'ao. M. Ts'ao était un patron, un ami. Petite

Fou-tse n'était pas qu'une amie ; elle était celle qui lui donnerait sa vie. A eux deux, ils sortiraient de l'enfer. Ils poursuivraient leur chemin la main dans la main. M. Ts'ao le touchait par ses paroles, mais Petite Fou-tse, elle, l'émouvait, sans même dire un mot. A M. Ts'ao, il avait raconté sa vraie histoire, mais à Petite Fou-tse, il voulait dire des choses plus intimes encore, des choses qu'il ne pourrait jamais dire à quelqu'un d'autre. Sans elle, plus rien n'avait de sens pour lui. Elle était sa vie ! Il devait la délivrer de cette chambre misérable. Ils habiteraient enfin une chambre propre et chaude, comme un couple d'oiseaux joyeux. Elle pourrait laisser son père et ses frères. Son père devrait gagner sa vie lui-même. Ses deux frères aussi pourraient commencer à travailler. Il avait besoin d'elle. Son corps et son esprit ne pourraient plus se passer d'elle. Elle aussi, elle avait besoin d'un homme comme lui.

Plus il y pensait, plus il était heureux, et plus son anxiété grandissait. Il y avait tant de femmes sous le ciel, pas une n'était aussi merveilleuse, aussi faite pour lui. Il est vrai qu'elle n'était pas une fille « sans tache » comme il en avait rêvé autrefois ; mais c'était justement pour ça qu'elle était attachante et capable de l'aider. Une lourde fille de campagne pouvait être « sans tache » mais jamais aussi prévenante et compréhensive que Petite Fou-tse. Et lui-même, était-il si « propre » ? N'y avait-il pas beaucoup de points noirs dans sa vie ? Ainsi, aucun des deux n'était indigne de l'autre. Ils seraient un couple bien assorti, pareil à une paire de jarres légèrement fêlées, mais parfaitement utilisables.

Arrivé devant la porte de la grande cour, il était en nage. Comme un exilé revenu dans son pays natal, il trouvait tout ravissant : la porte délabrée, les murs défraîchis, et même l'herbe jaunie qui poussait au-dessus de la loge d'entrée. La porte franchie, il courut tout droit vers le logis de son amie. Sans frapper, sans appeler, il ouvrit brusquement la porte. Il recula d'un pas à la vue d'une femme d'âge moyen assise sur le kang. Comme il n'y avait pas de feu dans la chambre, elle était enveloppée dans une couverture rapiécée. Interloqué, Siang-tse resta devant la porte et entendit la femme lui crier :

— Alors, on entre comme ça chez les gens ? Il y a le feu ou quoi ? Qu'est-ce que tu cherches ?

Siang-tse n'eut pas la force de parler. D'un coup, il cessa de transpirer. Il ne voulut pas cependant perdre l'occasion d'obtenir des renseignements. S'appuyant d'une main à la porte, il dit :

— Je cherche Petite Fou-tse.

— Connais pas. Ni Petite ni Grande. Une autre fois, tu frapperas avant d'entrer, hein ?

Il resta longtemps assis devant la grande porte, l'air hébété, oubliant presque ce qu'il était venu faire là. Il s'efforça de réfléchir, d'abord dans le sens positif, comme en général les gens procèdent lorsqu'ils ne possèdent pas tous les éléments d'une affaire. Petite Fou-tse avait peut-être tout simplement déménagé, sans que sa vie eût changé. Pour plus de renseignements, Siang-tse entra de nouveau dans la cour. Il n'obtint pas grand-chose auprès d'un vieux voisin. Il ne se découragea pas. Sans prendre le temps de manger, il mena l'enquête dans les stations de pousses, dans les maisons de thé et dans les « grandes cours » d'habitation.

Le soir, il rentra épuisé au garage. Son enquête n'avait abouti à rien. Il n'osait plus rien espérer. Un pauvre meurt facilement, pense-t-il ; et quand un pauvre meurt, on se dépêche de l'oublier. Petite Fou-tse n'était peut-être plus de ce monde. Ou bien elle vivait encore, mais elle avait été vendue par son père aux cinq cents diables, ce qui était pire que la mort !

23

Siang-tse errait comme un fantôme dans la rue. Il rencontra un vieux tireur pauvre qu'il avait connu. Vêtu d'une veste trouée, il portait sur l'épaule une palanche : devant était suspendue une théière en terre cuite, derrière un panier troué contenant des galettes et une brique pour maintenir l'équilibre. Il reconnut aussi Siang-tse.

Il lui apprit qu'à la mort du petit-fils qu'il avait élevé, il avait vendu son vieux pousse. Il vivotait en vendant du thé et des galettes. Le vieillard avait conservé son air aimable. Il avait le dos plus courbé et les yeux toujours larmoyants à cause du vent.

Siang-tse but une tasse de son thé ; il éprouvait le besoin de s'épancher. Après l'avoir entendu, le vieillard dit :

— Tu penses qu'il vaut mieux se débrouiller tout seul ? Qui ne raisonne pas ainsi, mais qui en est vraiment sorti ? Moi aussi, j'avais les os solides et un bon cœur. Vois ce que je suis devenu. Une santé de fer ? Mais personne, crois-moi, ne se tire d'affaire dans ce sacré métier. Un cœur d'or ? Mais la justice du ciel, c'est de la blague. Quand j'étais jeune, j'étais plein d'ardeur ; il n'y avait que les affaires des autres qui comptaient. J'ai sauvé des vies, tu sais ; les gens qui se jetaient dans la rivière ou qui se pendaient. Où est la récompense ? Je mourrai de froid un de ces quatre matins. Se débrouiller seul dans notre métier, c'est plus difficile que de monter au ciel. Tu connais les sauterelles ? Ça saute loin tout seul, oui. Mais un gosse vient l'attraper et l'attacher avec une ficelle. Saute toujours ! Mais quand elles sont en groupe, c'est autre chose ! Elles bouffent les récoltes de villages entiers. J'étais bon, je ne suis même pas arrivé à garder mon petit. J'ai pas eu assez de sous pour le soigner. Il est mort comme ça dans mes bras. N'en parlons plus. Du thé chaud, qui en veut un bol !

Siang-tse comprit alors que Ts'ao, Mme Yang, le détective Sun... tous ces gens ne seraient pas punis, simplement parce que lui, Siang-tse, les maudissait. Et lui-même, il ne deviendrait pas fort parce qu'il le voulait. Il avait toujours lutté seul, il se croyait libre, mais il n'était qu'une sauterelle à la merci d'un gosse sans pitié.

Il n'avait plus aucune envie de retourner chez les Ts'ao. Là, il serait obligé de se montrer travailleur et consciencieux. A quoi bon ? Mieux valait continuer à vivre au jour le jour. Faire des économies, acheter des pousses, ce serait finalement travailler au profit des autres pour rien.

Encore que, pour Petite Fou-tse, ça valait la peine de travailler. Sans elle, il était exactement comme ce vieillard sans son petit-fils, il n'avait plus d'idéal dans la vie. Il raconta l'histoire de Petite Fou-tse au vieillard.

— Qui en veut un bol tout chaud ! cria d'abord le vieillard avant de s'adresser à Siang-tse : A mon sens, il n'y a que deux possibilités : ou bien elle a été vendue à quelqu'un ; ou alors, elle a été placée dans un bordel. Oui, plutôt dans un bordel. Tu m'as dit qu'elle avait été déjà vendue une fois, n'est-ce pas ? Peu probable qu'on l'ait revendue. Les gens qui achètent des concubines ne veulent pas d'« articles d'occasion » ! Oui, il y a grande chance qu'elle soit dans un bordel. J'ai dépassé la soixantaine. J'en ai vu des choses. Quand un tireur costaud ne se montre pas pendant deux jours, et s'il ne s'est pas placé chez un particulier, tu peux être sûr de le dénicher à plat ventre dans un bordel. Quand nos filles disparaissent, c'est là aussi qu'elles se trouvent. C'est ça. Nous vendons notre sueur, nos filles vendent leur chair.

Crois-moi, va la chercher aux « maisons blanches ». Je ne garantis rien, mais... Du thé chaud, qui en veut un bol !

Siang-tse courut à la porte Si-tche.

Après la porte et le Kuan-hiang, un paysage désert s'offrit à sa vue. Les arbres étaient maigres et clairsemés au bord de la route. Il n'y avait pas l'ombre d'un oiseau sur les branches. Arbres gris, maisons grises, terre grise. Sous un ciel jaunâtre, la plaine incolore s'étendait au loin jusqu'à la colline de l'Ouest. Au nord du chemin de fer, il y avait un bois à l'orée duquel s'alignaient quelques maisons basses. Siang-tse pensa qu'il s'agissait des « maisons blanches ». Il s'enhardit et s'en approcha. Les portes étaient doublées de rideaux de paille qui, encore luisants, avaient été visiblement installés récemment. Siang-tse avait entendu dire qu'en été, les femmes ici exhibaient leur poitrine nue. Assises dehors, elles appelaient les passants. Les clients qui venaient vers elles sifflaient des chansons obscènes pour montrer qu'ils étaient connaisseurs. Comment expliquer alors ce silence de mort ? Ne travaillaient-elles pas en hiver ?

Pendant qu'il hésitait, le rideau d'une des portes latérales se souleva. Une femme sortit sa tête. Siang-tse sursauta. Le visage de la femme ressemblait terriblement à celui de Tigresse.

« Ce serait bien le diable si je trouve Tigresse, au lieu de Petite Fou-tse ! »

— Entre donc, mon mignon !

La voix de la femme n'était pas celle de Tigresse ; rauque et précipitée, elle lui rappelait les cris de ce vieux vendeur de plantes médicinales du pont du Ciel.

Il n'y avait rien d'autre dans la chambre que la femme et un kang chauffé qui dégageait une odeur nauséabonde. Sur le kang était posée une couverture dont les bords étaient gras et luisants de crasse, ainsi que les briques du kang. La femme avait dans les quarante ans, les cheveux en désordre et le visage mal débarbouillé. Elle portait un pantalon doublé et une veste ouatée verte qu'elle avait négligé de boutonner. Siang-tse avait dû baisser la tête pour franchir la porte. Dès qu'il fut à l'intérieur, la femme le saisit dans ses bras. Ses seins très gros et très longs sortaient de sa veste entrouverte.

Le plafond étant trop bas, Siang-tse fut obligé de s'asseoir sur le kang. Il se félicita de tomber sur cette femme, car d'après l'aspect extérieur, il pensa qu'il s'agissait sûrement du fameux « Sac de farine » dont on lui avait souvent parlé. Elle avait mérité ce surnom à cause de ses seins, si longs que d'un mouvement elle pouvait les rejeter sur ses épaules. Les clients qui la fréquentaient ne manquaient jamais de lui faire exécuter son numéro. Son renom, toutefois, n'était pas dû uniquement à ses seins. Elle était la seule personne libre du bordel, puisqu'elle y était venue de son plein gré. Elle s'était mariée cinq fois ; et chaque fois, le mari était mort comme une punaise desséchée. Elle avait choisi finalement de travailler pour assouvir ses besoins sexuels. Etant libre, elle avait la langue bien pendue. C'était la seule personne à qui on pouvait extorquer quelques renseignements sur cette maison close. Pour cela, bien sûr, elle demandait des « pourboires ». Connaissant le procédé, Siang-tse lui paya d'abord le « service ». La femme comprit son intention, aussi cessa-t-elle de l'amadouer. Tout de go, Siang-tse lui demanda si elle connaissait Petite Fou-tse. Au début, elle n'en était pas sûre, mais après que Siang-tse l'eut décrite, la mémoire lui revint.

— Si, elle était ici ! Elle était jeune et elle avait de belles dents blanches. Nous l'appelions, je me rappelle, Petite Chair-tendre.

— Dans quelle chambre est-elle ?

Les yeux de Siang-tse dardaient une lueur terrible.

— Elle ? Mais c'en est fini d'elle.

« Sac de farine » indiqua du doigt la fenêtre.

— Elle s'est pendue dans le bois.

— Quoi ?

— Petite Chair-tendre, on l'aimait bien ici. Seulement, le métier était dur pour elle ; elle avait la santé fragile. Un jour, je me rappelle bien, c'était au moment d'allumer la lampe. J'étais devant la porte avec deux ou trois autres. Voilà qu'un client arrive. Il est allé tout droit dans sa chambre. Oui, elle n'aimait pas rester dehors avec nous. A cause de ça, elle avait même été battue au début. Mais après, comme on la connaissait mieux, on la laissait seule dans sa chambre. De toute manière, les clients qui venaient pour elle n'allaient pas ailleurs. Au bout d'un moment, disons le temps d'un repas, le client est sorti, il a foncé vers le bois. Personne ne s'est aperçu de rien. C'est quand on est allé ramasser le fric qu'on a découvert le bonhomme étendu nu sur le lit et qui dormait comme un bienheureux. Il était ivre. Petite Chair-tendre avait pris les vêtements du client et s'était enfuie. Faut dire qu'elle n'était pas bête. Si ç'avait pas été le soir, elle n'aurait pas réussi son coup. Il faisait noir, et avec son déguisement, elle est sortie inaperçue. Le patron a envoyé aussitôt des gens pour la chercher. Eh bien, dès l'entrée du bois, on l'a vue pendue à un arbre. On l'a décrochée, elle ne respirait plus. Elle n'était pas affreuse à voir. Même morte, elle restait mignonne. Ça fait plusieurs mois déjà. Le bois est resté calme. Elle n'a pas fait d'apparitions pour effrayer les gens, tu sais. Elle a bon cœur...

Sans attendre qu'elle eût terminé, Siang-tse sortit, la tête vide. Il arriva devant un cimetière. Des rangées de sapins entouraient un terrain carré au milieu duquel dormaient une dizaine de tombes. Il faisait sombre dans le bois qu'éclairaient les faibles rayons du couchant. Il s'assit par terre, sur l'herbe fanée et parmi les fleurs sauvages. Tout était silencieux. Quelques pies sur les branches poussaient de longs cris plaintifs. Il n'y avait pas de tombe pour Petite Fou-tse, il le savait. De chaudes larmes lui coulaient sur les joues. Petite Fou-tse était enveloppée d'une natte et enterrée dans un fossé. Il ne restait plus rien d'elle. Et lui, il versait des larmes qui ne changeaient rien. Ainsi était la fin de Petite Fou-tse, ainsi serait sa fin ; la fin de deux êtres qui avaient voulu lutter pour avoir une place au soleil.

Rentré au garage, il dormit deux jours. Il décida de ne pas retourner chez M. Ts'ao ; celui-ci ne pouvait pas vraiment l'aider à sortir du pétrin. Il ne pensait plus à rien et n'espérait plus rien. Il ne sortait plus son pousse que pour gagner de quoi se remplir l'estomac. Après quoi, il rentrait au garage pour dormir. Il se vit pareil à un chien maigre qui attend à côté d'un vendeur de patates, dans l'espoir de grignoter des épluchures. Vivre au jour le jour, sans penser à rien d'autre, c'était tout ce qu'il lui restait à faire.

24

L'hiver passa. Le soleil de printemps fournit aux hommes un vêtement chaud et « naturel ». Siang-tse vendit ses habits ouatés qui ne lui paraissaient plus d'aucune utilité ; puiqu'il avait décidé de ne vivre qu'au jour le jour et qu'il ne comptait pas tenir jusqu'à l'hiver suivant. Si, par malheur, il passait ce cap, il ne lui resterait alors qu'à se débrouiller, ou à crever. Autrefois, les projets qu'il échafaudait devaient être définitifs, valables pour toute la vie ; il savait maintenant que seul comptait le jour présent. Le jour suivant, lourd d'une même misère, n'en serait qu'une simple répétition.

Après les vêtements, il se débarrassa de tout ce qui n'était pas immédiatement nécessaire, contre de l'argent. Il entendait mieux se nourrir. Ce qu'il avait vendu et qu'il ne pouvait plus s'offrir, il essayait de s'en passer. Ainsi, il ne se lavait plus la figure ni les dents faute de serviette et de brosse à dents. A quoi bon se préoccuper tant de se présenter convenablement ? Il importait avant tout de se bourrer de crêpes farcies de viandes. Au moment de mourir, on aurait la satisfaction d'avoir le ventre moins creux que celui d'un rat qui crève de faim.

Siang-tse, le gaillard superbe, le tireur de premier ordre, devint maigre et crasseux, et se rangea parmi les tireurs de la dernière catégorie. Son visage, son corps, ses vêtements, il ne prenait plus la peine de les laver. Il laissait souvent passer plus d'un mois avant d'aller chez le coiffeur. Il n'était plus à cheval sur la qualité du pousse qu'il tirait, pourvu que le montant de la location ne fût pas élevé. Il n'hésitait plus à laisser le client qu'il tirait sur le pavé, s'il se présentait une autre course plus inté- ressante. Il savait menacer le client indigné en roulant de gros yeux ou en brandissant le poing. Que craignait-il, puisque même la prison ne lui faisait plus peur ? Quand il tirait seul, il s'arrangeait pour avancer lentement, selon la loi du moindre effort. Quand c'était avec d'autres, par contre, il lui arrivait de s'élancer soudain, pour le malin plaisir de les semer. Pourquoi respecter les autres tireurs comme il le faisait jadis ? Il s'initiait à l'art de les embê- ter : en faisant des queues de poisson, en les empêchant de le dépasser ou en donnant des coups à leur pousse par- derrière. Autrefois, il avait une conscience autrement plus noble de sa profession : il avait à charge une vie humaine ! Maintenant, un accident qui coûterait la vie à son client ne lui ferait ni chaud ni froid. Un homme, c'est fait pour mourir, non !

Il retomba dans son mutisme d'antan. Sauf pour marchander, il n'ouvrait guère la bouche ; pour lui, elle n'était faite que pour manger, boire et fumer. Même ivre, il restait silencieux. Il allait souvent se réfugier dans le bois où Petite Fou-tse s'était pendue. Après avoir pleuré tout son soûl, il passait la nuit aux « maisons blanches ». Il y dépensait son argent pour « acheter » un peu de plaisir et beaucoup d'ennuis dus aux maladies qu'il y attrapait. Il n'en éprouvait cependant aucun remords, si ce n'était d'avoir été, autrefois, si honnête et si désireux de réussir.

Maintenant, il ne perdait pas une occasion de profiter des autres. Sa satisfaction n'était pas mince chaque fois qu'il réussissait à fumer les cigarettes des autres, à écouler une fausse pièce de monnaie, à manger plus que la portion normale de légumes salés dans une échoppe ou à dépenser un peu moins d'énergie dans une course. Ce qu'il gagnait signifiait une perte pour les autres ; c'était là une forme de vengeance envers la société. Il apprenait aussi à emprunter de l'argent sans jamais le rendre. Au début, connaissant sa réputation d'homme honnête, personne ne se méfiait de lui. L'argent emprunté, à ses yeux, ne se distinguait en rien d'une pièce ramassée au hasard par terre ; il le dépensait sans se soucier de le restituer à son propriétaire. Il avait recours à toutes les astuces pour inspirer de la pitié à ses créanciers, les suppliant de l'acquitter de sa dette, ou du moins, d'en retarder l'échéance.

Il eut tôt fait de réduire son ancienne réputation en poussière. A bout de ressources, il passa en revue les familles chez lesquelles il avait travaillé. Auprès des patrons et des domestiques, ses mensonges lui permirent d'obtenir, une première fois, de l'argent qu'il s'empressait, invariablement, d'échanger contre du vin et du tabac. Il trouvait fort à son goût de ramasser de l'argent sans se donner la moindre peine.

Il se rendit un jour, comme c'était à prévoir, chez les Ts'ao. A quelque distance de la porte, il attendit patiemment le moment où mère Kao sortirait pour les courses. Lorsque enfin elle se montra, il s'avança et l'appela d'un ton qui se voulait émouvant.

— Ah, tu m'as fait peur ! C'est toi, Siang-tse ? T'es devenu...

Mère Kao avait les yeux écarquillés de frayeur, comme si elle venait d'apercevoir un monstre.

— N'en parlons pas !

Siang-tse baissa la tête.

— Pourquoi t'es pas revenu comme tu l'avais promis ? Je suis allée voir Vieux Tcheng ; lui non plus, il n'avait pas de nouvelles de toi. Les patrons se sont drôlement fait du mauvais sang, tu sais !

— J'ai été malade ; j'ai failli en mourir. Parles-en à Monsieur. Qu'il m'aide un peu. Je reviendrai travailler quand je serai mieux.

Siang-tse débita sa supplication élaborée à l'avance, de la manière la plus simple et la plus touchante qu'il pût.

— Monsieur n'est pas là. Veux-tu entrer voir Madame ?

— Pas la peine ; je ne suis pas présentable. Parles-en à Madame pour moi, s'il te plaît !

Mère Kao lui rapporta deux yuans.

— Madame te les donne pour que tu t'achètes des médicaments.

— Entendu. Remercie Madame pour moi !

L'argent en poche, il se précipita au pont du Ciel et y passa la journée.

La saison des pèlerinages revenait.

Comme à l'appel du beau temps, surgirent de partout les marchands d'éventails, chargés de leurs boîtes auxquelles pendaient mille clochettes dont les sons cristallins attiraient les passants. De chaque côté de la rue, les marchands de fruits vendaient des abricots verts par tas entiers ; les cerises étaient d'un rouge éclatant et les pruneaux confits couverts d'essaims d'abeilles. Les marchands de gâteaux de riz et de gélatines, eux, avaient des éventaires propres et garnis d'assaisonnements multicolores. Les gens aussi portaient des couleurs discrètes ou fleuries ; on eût dit que des arcs-en-ciel se formaient en pleine rue. Les balayeurs arrosaient sans cesse la chaussée sans venir à bout de la poussière qui se soulevait et agaçait les passants. Au milieu de la poussière se balançaient de longs rameaux de saules et voletaient les hirondelles agiles. Un temps ambigu ; on ressentait tout à la fois lassitude et bien-être.

La foule des pèlerins se rassemblait en groupes dansants – danse aux tambourins, danse aux lions, bâtons aux cinq tigres, etc. – qui se dirigeaient à la file vers le mont Miao-feng. Au son des cymbales et des tambours, portant caisses et paniers, ils avançaient, comme par vagues, sous des bannières jaune d'or. La ville était toute vibrante de cette agitation bruyante qui soulevait des nuages de poussière et suscitait chez les hommes un vague sentiment de nostalgie. Ceux qui participaient au pèlerinage et ceux qui regardaient passer la procession partageaient la même exaltation pleine d'ardeur et de piété. En cette période de troubles, la superstition pouvait seule provoquer de l'animation, consoler les pauvres. Ce vacarme, ces couleurs, le ciel parsemé de clairs nuages et les rues inondées de poussière prenaient soudain une singulière signification ; ils obsédaient les gens et les poussaient à entreprendre quelque chose qui leur parût important. Ainsi, les uns gravissaient la montagne, les autres visitaient les temples, d'autres encore couraient de-ci, de-là, exaltés et éperdus, pour admirer les fleurs qui s'épanouissaient de toutes parts. Les plus indolents s'attardaient sur le trottoir où il leur était loisible de réciter quelques litanies ou prières.

A la même époque de l'année – il y avait tant d'années de cela – Siang-tse avait connu son aventure avec les soldats et les chameaux. Epoque héroïque. Comme il était plein de courage et d'espoir alors ! S'en souvenait-il seulement ? Sa maladie, contractée durant ses nuits de désœuvrement, ne lui permettait plus de continuer le métier de tireur. Par ailleurs, à cause de sa nouvelle réputation, il ne lui était pas possible de louer un pousse à crédit.

Il devint un habitué dans une auberge. Chaque soir, moyennant deux piécettes de cuivre, il y trouvait un gîte. Dans la journée, il cherchait du travail pour gagner de quoi acheter un bol de bouillon de riz. Avec sa stature, il n'était pas question pour lui de jouer au mendiant ; personne n'aurait eu pitié de lui. Il n'était pas encore initié à l'art de s'estropier artificiellement, par exemple, en se fabriquant des plaies à fendre le cœur des bonnes gens. Le vol n'était pas non plus à sa portée ; cela exigeait non seulement de la technique, mais encore de faire partie d'une confrérie. Or, Siang-tse avait toujours prétendu lutter seul. Il avait toujours espéré que seul, à la force du poignet, il réussirait à soulever le poids de son destin et à sortir vainqueur des épreuves que la vie lui avait imposées.

Depuis qu'elle n'était plus que l'« ancienne capitale », Pékin avait perdu son prestige d'antan. Ses artisans, ses cuisiniers, ses agents de police, véhiculant son dialecte, cherchaient à survivre ailleurs, dans les villes où la classe dominante dépassait en richesse et en puissance le Fils du Ciel d'autrefois. A Ts'ing-tao, cette ville côtière occidentalisée, on pouvait manger du mouton en sauce à la mode de Pékin. A Tien-tsin, on entendait aussi, à minuit, les cris plaintifs des marchands de nouilles ambulants ; à Chang-haï, à Han-k'eou, à Nankin, il n'était pas rare de rencontrer des agents de police à l'accent typiquement pékinois qui mangeaient en pleine rue des galettes à la crème de sésame. Certains porteurs de palanquins prirent le train pour Tien-tsin ou Nankin et travaillèrent comme porteurs de cercueils pour les riches.

A Pékin même, le déclin de la prospérité se manifestait un peu partout. Dans les pâtisseries, après la fête du Double Neuf, on vendait encore des *houa-kao* (gâteau de fleurs). Les marchands de *yuan-hsiao* pour la fête des Lanternes (le quinzième jour de la première lune) étalaient leurs marchandises dès l'automne. Les grandes boutiques, vieilles de deux ou trois cents ans, se mettaient à commémorer leur anniversaire ; ce qui leur était un prétexte pour distribuer, sans trop perdre la face, des prospectus annonçant des soldes. En période de récession, le souci du « standing » passe au second plan !

Malgré sa lente décadence, la ville conservait encore sa suprématie dans les « cérémonies rouges et blanches », c'est-à-dire les mariages et les enterrements. Aucune autre ville ne pouvait prétendre l'égaler pour la pompe et les accessoires. Pour les mariages : palanquins richement décorés, orchestre à vingt-quatre instruments, cortège ; pour les funérailles : cercueils recouverts de draps brodés, figurines représentant des personnages à cheval ou en carrosse, lions et cigognes formés de branches de pin et de thuya tressées. Tout cet équipage ne manquait pas de majesté et ressuscitait immédiatement la splendeur du passé.

C'est à la survivance de ces traditions et de ces rites désuets que Siang-tse devait de ne pas mourir de faim.

Aux mariages, il portait une bannière ou un parasol, et des couronnes ou des panneaux de condoléances aux enterrements. Il ne riait pas, ne pleurait pas ; il ne se trouvait mêlé à la joie ou à la douleur des autres que pour gagner une dizaine de piécettes. En ces occasions, il portait une veste verte ou une robe bleue et un chapeau noir qui ne lui allait pas, fournis par ses employeurs. Ces accoutrements cachaient un moment ses haillons. Lorsqu'il s'agissait de grandes familles, on distribuait aux porteurs des bottes et on leur coupait les cheveux. Siang-tse en profitait pour s'accorder un bon nettoyage. Sa maladie l'empêchait de marcher à grands pas ; on le voyait toujours traîner derrière les autres.

Même dans ce métier, il faisait un bien piteux porteur. Son âge d'or était décidément passé. Il avait perdu tout idéal depuis que son rêve de pousse s'était révélé irréalisable. Les objets plus lourds tels les grands parasols rouges ou les pancartes de bois, il évitait de les porter. Oubliant sa carrure, il disputait aux vieillards, aux enfants, voire aux femmes un petit drapeau ou d'étroites banderoles de condoléances.

Il avançait au rythme de la procession, la tête baissée, le dos courbé et au coin des lèvres un mégot ramassé dans la rue. Il ne se souciait guère de régler sa marche sur le son des cymbales. Il lui arrivait de continuer à avancer lorsque tout le monde s'arrêtait, ou de rester sans bouger, alors que le cortège s'ébranlait. Il ne s'inquiétait pas le moins du monde de se maintenir à égale distance de ceux qui le précédaient et de ceux qui le suivaient. Traînant les pieds, l'air absent, il semblait perdu dans de profondes méditations.

Rien ne réussissait à le sortir de son indolence, pas même les jurons furieux dont l'abreuvait le joueur de cymbales en habit rouge ou le maître de séance qui tenait un drapeau en satin.

— Fils de pute ! T'entends ? Chameau ! Attends un peu que je te flanque un coup de pied au cul ; tu vas rentrer dans le rang, non ?

Le joueur de cymbale ne résistait pas à l'envie de lui allonger un coup de bâton dans le dos ; Siang-tse levait les yeux et jetait un regard vague autour de lui. Puis, baissant la tête, il se mettait consciencieusement en devoir de chercher un mégot qui pourrait se trouver sur son passage.

Siang-tse, le grand Siang-tse, le courageux, le fort, celui qui avait tant rêvé, tant cherché la réussite, combien de morts avait-il accompagnés jusqu'à leur tombe ? Lui, le malheureux, le déchu, l'« individualiste » qui croyait pouvoir réussir tout seul, quand donc serait-il enterré avec cette société cruelle et pourrie qui l'avait enfanté ?

Achevé d'imprimer
sur les presses du

Groupe Horizon

Parc d'activités de la plaine de Jouques
200, avenue de Coulin
13420 Gémenos – FRANCE

Dépôt légal : janvier 1995

Imprimé en France